动物小说大王沈石溪
·感悟生命书系·

红豺

HONG CHAI

典藏版

沈石溪◎著

童趣出版有限公司编　人民邮电出版社出版
北　京

\序 言\

互惠关系中的豺和狼

沈石溪

豺和狼是两个不同的物种，但在汉字里，却把豺和狼组合成一个词，豺狼豺狼，大家都这么说，好像豺和狼是一对专门合伙干坏事的臭味相投的朋友。这真是大错特错了。

动物行为学有一条定理：两个物种行为和习性越相近，关系就越紧张，争斗就越频繁。在野外，豺和狼由于体型大小比较接近，在大自然食物链中的排序也比较接近，都是以群体围攻和长途奔袭作为主要狩猎手段，都是以中小型食草动物作为捕食目标，彼此的行为和习性有很多相似之处。因此，这两种动物亘古以来就是你死我活的竞争对手。

狼一旦发现豺的踪影，便会穷追猛撵，赶尽杀绝。有意思的是，狼找到了豺窝，倘若豺窝里只有幼豺在，狼会把幼豺咬死，但即使饥肠辘辘也不会吃掉幼豺，而是在被咬死的幼豺身上拉屎撒尿，故意留下浓烈的狼的气味。据说这样做更能对豺起到威慑、恐吓和驱逐的作用。而豺如果遇到狼窝，发现了里面没有成年狼陪伴的幼狼，也决不会心慈手软。有意思的是，豺对付幼狼的手段似乎更高明些，它既不会吃掉幼狼，也不会咬死幼狼，而是咬断幼狼的膝盖，造就一只永远站立不起来的残疾狼。这样做的好处是，成年狼会不忍抛弃残疾幼狼，只能耗费心血抚养不可能自立的后代，白白错过新的繁殖机会，若干年后，残疾狼终于死了，成年狼便会怀着悲伤失落的心情远走他乡，这辈子再也不会回到这片带给它惨痛记忆的地方。

可以这么说，豺和狼是一对天生的冤家，有狼无豺，有豺无狼，水火不能相容。

不难理解豺和狼之间的敌对情绪，这和同行相妒的道理有点儿相似——资源有限，生存不易，减弱你一分存活机会，就等于增强我一分存活机会。

这就是豺和狼的关系，凶残狠毒得令人发指，奸诈狡猾得令人切齿。这大概就是豺狼之所以比其他食肉猛兽更让人憎恨、让人厌恶的原因吧。

但有一件事情，却改变了我对豺狼的看法。两年前我到坐落在滇北高原的香格里拉野生动物救护站去采风，看到一只母豺和一只母狼被圈在一个露天笼舍里。正值霜降时节，寒风瑟瑟，母豺和母狼蜷缩在背风的角落晒太阳，彼此相距不足一米，却像老朋友似的相安无事。我很惊讶，便打听事情的缘由。管理员告诉我，母狼两只前爪受过伤，指甲全部脱落了，在野外无法抓牢猎物，实在饿极了，便跑到寨子里来偷鸡吃，被村民捉住后送到救护站来。母豺的嘴歪得很厉害，左侧的牙齿全裸露出来了，估计是在与狗熊争食时被熊掌掴歪的，严重影响噬咬能力，也找不到东西吃，半夜三更偷偷溜进救护站来偷狗粮，等于自投罗网成了救护站的居民。需要救助的野生动物太多了，救护站“人”满为患，不可能给每一种动物都提供单独的居所，便合并同类型，把习性相近的数种动物圈养在同一空间。于是，母狼和母豺便走到一起来了。刚开始时，这两个家伙互相咆哮，狼眼和豺眼里射出仇恨的光，恨不得生吞了对方。但几天后，情况发生了微妙的变化。按照规定，救护站定时给母狼和母豺投喂大块生牛排，母狼和母豺在进食时都遇到了问题。母狼前爪的指甲已经脱落，无法进行正常撕扯，很难将牛排分解开来；而母豺嘴歪得太厉害了，无法进行正常噬咬，很难将牛排上的肉啃下来。管理员也没发现究竟是母狼还是母豺想出了互相协作撕吃牛排的办法，反正几天以后，母狼和母豺就合作进食了。当管理员将大块牛排扔进栅栏，母豺便用锐利的爪子紧紧攫抓住牛排，母狼便用犀利的狼牙噬咬牛排，各自向相反的方向用力，很快牛排上的肉便成了它们果腹的美食。管理员介绍说，合作确实大有成效。在没有合作前，无论是母狼还是母豺，吃一块牛排都要折腾一个多小时，弄得筋疲力尽不说，还无法把牛排上的肉啃干净。自打进行了合作，一块牛排十几分钟就解决了，而且吃得干干净净，一点儿都不浪费。更让管理员们感到欣慰的是，合作进食不仅解决了吃牛排的难题，母狼和母豺的关系也变得融洽起来。它们不再用冷冰冰的暗藏杀机的眼光敌视对方，也不再互相咆哮威胁。过了一段时间，它们竟然并排躺在一起晒太阳。有一次母狼不小心被栅栏上的铁丝网划破脊背，母豺还用舌头替母狼舔疗伤口呢。

望着躺在一起晒太阳的瘸子母狼和歪嘴母豺，我突然悟出一个道理：豺与狼绝非是我们想象中的不可调和的世仇宿敌。是的，它们互相敌视并进行着穷凶极恶的争斗，但说到底，是环境迫使它们这么做的。生存空间有限，生存资源有限，唯有杀戮才能获取生存利益，它们当然选择杀戮。用自然选择理论来解释，在一个必须依靠杀戮才能存活的大环境下，越是脾气暴戾者越是心肠歹毒者越能活得潇洒，越是脾气平和者越是心肠温柔者越活得艰辛。久而久之，脾气平和心肠温柔者便被淘汰出局，脾气暴戾心肠歹毒者便会在族群中迅速占据主导地位。假如任由这种现象持续并蔓延，整个世界就会刀光剑影永无宁日。要彻底扭转这种局面，首要条件就是改善生存环境，修正自然选择机制。假如出现这样的生存环境：越是脾气平和者越是心肠温柔者越能活得潇洒，越是脾气暴戾者越是心肠歹毒者越活得艰辛。久而久之，脾气暴戾心肠歹毒者便被淘汰出局，脾气平和心肠温柔者便会在族群中迅速占据主导地位，世界也就日趋和平安宁。

要想做到这一点，互惠是一个特别重要的前提。何谓互惠？就是在给予你好处的同时，我也从你身上得到了实惠。也可以这么解释，利他和利己包含在同一个行为中。就像香格里拉野生动物救护站里的那只母狼和那只母豺，通过合作能给自己带来生存利益，它们就会摒弃前嫌选择合作。在合作过程中，仇恨慢慢消融，友谊慢慢滋生。互惠性质的合作越多，友谊也就越浓；互惠性质的合作越深，友谊也就越重。合作到了互相依赖的程度，想要拆散它们恐怕也不容易了。

我甚至觉得，互惠不仅仅是生物学和经济学名词，而应当提升为一种哲学观念，成为一个政治流派。

有了这样的想法，我就动手写了《红豺》这部长篇动物小说。我其实就想说这么一句话：如此凶悍的豺和狼都能走到一起，我们这些有理性思考能力的人类，还有什么理由彼此仇恨呢？

是为序。

2010年10月7日

写于上海梅陇镇

目录

第一章　家破豺亡

滇北高原日曲卡雪山脚下，灌木野草丛中，有一个口小腹大的椭圆形石洞，形状很像弥勒佛的肚子，相传明朝年间有个苦行僧曾在这里面壁十年诵经修行，因此这个石洞也叫大肚佛窟。

一只母豺，将小小的大肚佛窟占为巢穴，产下一雌一雄两只幼豺。也许是受神灵保佑，两只幼豺健壮活泼，出生才五天就睁开了眼睛，第七天就会在石洞里蹒跚爬行。

豺是日曲卡雪山一带常见的中型走兽，当地山民称之为豺狗，因为体毛偏红，也有叫做红狼的。既名豺狗，又名红狼，可见豺的外貌特征，介乎于狗和狼之间，体型比普通土狗稍大些，又比狼要小得多。从动物分类学上说，豺、狗、狼皆为哺乳纲犬科，但狗和狼为犬科犬属，也就是同科同属，彼此血缘关系较近，豺却另成一属，为犬科豺属，完全是另一种动物。

那只刚刚做了妈妈的母豺，体毛浓密，背脊、尾巴和足踵上的毛色泽艳红，走动起来，就像天边的火烧云，因此，它的芳名就叫火烧云。

母豺火烧云今天运气不错，下午外出狩猎，刚到古纳河边，就碰到一只红颊獴与一条大青蛇生死搏斗。红颊獴锐利的牙齿咬住大青蛇的头颈，大青蛇两米多长的身子勒着红颊獴的脖子，在河边沙滩上打滚。它不会去帮大青蛇，当然也不会去帮红颊獴，谁输谁赢与它没多大关系，它蹲在河边的一棵树桩上，免费看了一场獴蛇大战的好戏。过了一会儿，大青蛇七寸被咬断，蹦弹了几下，像根烂草绳一样瘫软在地。红颊獴筋疲力尽，趴在沙砾上大口喘息。它从树桩上跳下来，冲着红颊獴啸叫了数声。红颊獴本来就不是豺的对手，又刚刚经过一场激烈的鏖战，元气大伤，哪里还敢接招，委屈地嚎了两声，夹起尾巴逃之夭夭。它不费吹灰之力，就白得了一条大青蛇。

鹬蚌相争，渔人得利，大自然中经常上演这样的悲喜剧。

对母豺火烧云来说，这是获得食物的最佳方式，不劳而获说起来虽然难听，享用起来却特别舒服。特别是对处在哺乳期的母豺来说，再也没有比白捡一顿丰盛的食物更让它高兴的事了。对豺而言，除了老鼠、青蛙和小鸟，任何狩猎都有风险。即使捕捉雪兔，兔子逼急了还会反咬一口，捕捉羚羊的话，弄不好就会被羊角挑伤。哺乳期的母豺要是在狩猎中负了伤，不但自己倒霉，幼豺也跟着遭殃。因此，哺乳期的母豺狩猎时会格外小心谨慎，宁肯捡食已经腐烂的动物尸体，也不去冒险打猎。现在好了，红颊獴替它宰杀了大青蛇，活宰活杀非常新鲜，没冒什么风险，也没损耗体力，就能吃到鲜美爽口、营养丰富的蛇肉，这等好事，真是打着灯笼也难找啊！

它叼着大青蛇拖回大肚佛窟。不在野外进餐，是有原因的。倘若在古纳河边当场撕食大青蛇，血腥味很有可能会引来嗅觉灵敏的野犬、狼群或金猫等猛兽，从它嘴里将大青蛇抢了去。弱肉强食的大林莽，到处都有想不劳而获的强盗胚子。就算侥幸没遇到抢掠食物的猛兽，成群结队的秃鹫和大嘴乌鸦也会来分一杯羹，闹得它没办法安安心心进食。

小半条大青蛇，就足够母豺火烧云饱餐一顿了。它将吃剩的大半截蛇藏在大肚佛窟石坎后面，以备明后天再吃。两只幼豺出生才一个星期，毫无自我保护意识，也毫无自我防卫能力，哪怕闯进一只紫貂或黄鼬，都能将它们当甜点给吃了。所以，母豺火烧云尽量减少外出狩猎的次数，压缩外出狩猎的时间，换句话说，尽量抽更多的时间待在两只幼豺身边，以减少因它不在巢穴而发生意外的可能性。

日头偏西，斜斜照进大肚佛窟，阴暗的石洞里一片灿烂。日曲卡雪山秋天的阳光，浓艳稠密，带着成熟野果子的香味。母豺火烧云躺在斑驳如玫瑰花瓣的阳光下，将一双小宝贝搂在自己的怀里。鲜美的蛇肉吞进肚子，就好比作坊有了优质原料，奶子胀鼓鼓的，蓄满了芬芳的乳汁，两只幼豺吃得满嘴溢香。大概是营养好的缘故，两个小家伙眼睛才睁开没几天就学会打闹了，你抓我一把，我啃你一口，在妈妈的怀里滚来滚去，发出吱呀吱呀的叫声，在母豺火烧云的耳朵里，这是世界上最优美的小夜曲。

它已经储备好两天的食物，也就是说，明后两天，它可以寸步不离地陪伴在小宝贝身边，不用为食物外出奔波了。阳光很温暖，小宝贝很可爱，大肚佛窟很温馨，它温柔地舔吻着幼豺的小脸、额头、背脊、肚皮和四肢。对豺来说，母亲的舌头就是梳子和洗澡毛巾，它将两个小家伙浑身上下擦洗得干干净净，金黄的绒毛在阳光下闪闪发亮。做完这一切，它有点儿累了，伸了个懒腰，慵倦地闭上眼睛，享受这难得的清静。

灾难往往就是在最没有防备的时刻悄悄降临。

突然，母豺火烧云觉得耳朵里钻进一丝不和谐的声音。“咔嚓咔嚓！”声音来自石洞外那片乱石滩，不像是山风吹动枯枝败叶摩擦地面，也不像是雀鸟抓刨沙子觅食小虫。“咔嚓咔嚓！”声音虽然微弱，但在一点儿一点儿放大，好像是什么东西在由远而近往大肚佛窟走过来。带崽的母豺警惕性是很高的，连睡觉都要睁一只眼竖一只耳，对任何可疑的东西都高度敏感。它急忙睁开眼翻爬起来，透过洞口的蒿草望出去，不由得倒吸了一口冷气。

大肚佛窟外的乱石滩上，夕阳把一匹狼的影子拉得很长。

两只不懂事的幼豺还在打闹，吱呀吱呀叫唤，它赶紧将两个小家伙压在自己身体底下，用乳头堵住它们的小嘴，不让它们发出声音。

它目不转睛地盯着狼。石洞内幽暗，石洞外明亮，形成光线差；它在暗处，狼在明处，它能看见狼，狼暂时还看不见它。这是一匹全身紫黑皮毛的狼，高大健壮，俗称大灰狼。腹部吊着两排乳房，饱满得就像秋天树枝上成熟的野果子，哦，是匹哺乳期的母狼。它转动狡黠的眼珠子，东张西望，尖锥形的鼻吻在地面上嗅嗅闻闻，朝大肚佛窟走来。

母豺火烧云看出来了，大灰母狼所走的路线，就是刚才它叼着大青蛇回巢穴的路线。它猛然醒悟，自己叼大青蛇回家时，大青蛇很沉也很长，说是叼着走，其实是拖着走。那蛇头已被红颊獴咬烂，死蛇一路滴着血，肯定还在草根岩石上留下碎肉与内脏。大灰母狼就是发现蛇血和其他痕迹，搜索追踪而来的。它理应将大青蛇拖回大肚佛窟后，顺原路再走一遍，将蛇血和其他痕迹舔擦干净或刨些灰土掩埋起来的。可它没这么做，当时因为白捡了可供它饱餐三天的大青蛇而兴奋得忘乎所以了。它犯了一个错误，犯了一个引狼入室的愚蠢而又可怕的错误。在危机四伏的林莽中，任何一个微小的疏忽，都可能招致厄运与不幸。对豺这样处在大自然食物链中间环节的动物来说，任何时候都应该谨小慎微，什么时候都不能太得意了。可惜，它现在认识到这一点已经太晚了。

要是现在石洞外灌木丛里突然蹿出一只惊慌失措的野兔，吸引大灰母狼的注意力，把大灰母狼引开就好了。遗憾的是，灌木丛里静悄悄的，根本就看不到什么替死鬼。要是老天爷突然下一场冰雹就好了，比鹅卵石更大的冰雹，砸在大灰母狼的脑壳上，就算不能把它砸得脑浆迸流，起码也能把它砸出脑震荡来。遗憾的是，万里晴空，别说大冰雹了，连雨点都不会落下一滴来。

大灰母狼用鼻子和眼睛搜索前行，恐怖的影子离大肚佛窟越来越近。

假如来的不是狼，而是其他食肉兽，例如猞猁或狗熊什么的，母豺火烧云也不会如此恐惧。猞猁虽然有“小老虎”的美名，比狼凶猛多了，但和豺并非水火不能相容。如果是猞猁找到大肚佛窟来，即使发现里头藏着一窝豺，也无非是想弄顿晚饭吃吃，它将吃剩下的大半截蛇扔出洞去，猞猁得到鲜美的食物，也就没有兴趣再在这里纠缠不休。狗熊虽然身体有五匹狼大，是森林里有名的大力士，熊掌能轻易撕裂野牛皮，但却比狼容易对付多了。狗熊四肢发达头脑简单，假如现在真是狗熊在石洞外徘徊的话，它可以蹿出洞去，装着受伤的样子，瘸起一条腿，朝别的方向逃窜，贪婪的狗熊肯定会上当，号叫着拔腿追撵。它只要控制好自己的速度，狗熊追得快时也逃得快，狗熊追得慢时也逃得慢，始终保持一个让追赶的狗熊充满希望却又可望而不可即的距离，就能将危险引开。但狼就不同了，狼和豺同属于犬科动物，需要基本相同的生存环境和食物资源。大自然中，生存竞争的规律是：物种之间习性和食源越相同，关系就越紧张，竞争就越激烈。正因为这样，自古以来，豺和狼就是水火不能相容的竞争对手。狼天生就憎恶豺，豺也恨不得天底下所有的狼都害瘟疫死光。狼一旦发现豺的踪迹，就不会是弄顿晚饭这么简单了，即使火烧云将那条吃剩大半截的蛇扔出洞去，也是绝对没法将狼哄走的。狼会守在石洞口，先将送到嘴边的蛇肉吞食进肚，肚子塞饱有了力气后，再冲进石洞来收拾豺。尤其是母狼，已经在这块土地上产下狼仔，建立了狼家庭，是绝不会允许豺存在的，它会想方设法把自己的竞争对手赶尽杀绝。用假装受伤这种伎俩对付狼，一点儿用也没有。狼和豺同属犬科动物，许多行为模式大同小异，装伤的把戏骗不了狼。母豺火烧云晓得，自己如果真的这么做了，母狼绝不会掉头来追赶它的，只会朝它奔逃的背影投来鄙夷的一瞥，然后继续沿原先的路线嗅闻寻找，直到把石洞里的两只幼豺找到并咬死为止。

从某种意义上说，狼是豺的头号天敌，也是豺生存的最大威胁。

人类字典里爱把豺狼组成一个词，豺狼，豺狼，好像豺和狼是要好得难分难舍的朋友，臭味相投互相勾结的伙伴，真是咄咄怪事。

能让两只刚出生才半个月的幼豺躲过灾难的唯一办法，就是藏在原处不发出一点儿声响，蒙混过关。动物经常要用生命来玩躲猫猫的游戏。但愿这匹大灰母狼是个近视眼，是个聋子，是个鼻炎患者，看不明听不清也嗅不准，找不到被蒿草遮蔽的大肚佛窟。

但它很快就失望了，大灰母狼好像不是近视眼不是聋子也不是鼻炎患者，眼不花耳不聋鼻不堵，恰恰相反，眼明耳聪鼻灵，似乎已经发现大肚佛窟有一窝藏匿的豺，狼尾像根棍子一样平平举了起来，嘴巴微张，露出一口尖利的狼牙，白多黑少的眼珠子透出一股杀气。怪不得人类词典中有“白眼儿狼”这个贬义词，确实，狼眼看上去很凶恶，让“人”不寒而栗。

母豺火烧云紧张得喘不过气来。唉，要是公豺大鼻孔现在在它身边就好了，就不用这么害怕。公豺大鼻孔是它的夫君，也是两只幼豺的父亲。豺实行单偶制，雌雄共同抚养后代。大鼻孔是很优秀的公豺，忠诚勇敢，长得也一表“人”才，鼻吻又大又漂亮。因为鼻孔大所以嗅觉格外灵敏，因为嗅觉格外灵敏所以捕食成功率很高，日子过得很宽裕。公豺大鼻孔同它一起生活了近半年，就在它快要分娩时，发生了意外。在一次狩猎时，它追逐一只小羚羊，羚羊逃进沼泽地，公豺大鼻孔跟着追进沼泽地，倒是将小羚羊扑倒咬死了，但正值夏季多雨季节，潮湿的沼泽地里，山蚂蟥多得就像山上的野草一样。当公豺大鼻孔将小羚羊拖出沼泽地时，身上被叮了十多条蚂蟥。更不幸的是，有两只可恶的蚂蟥钻进它的大鼻孔里，怎么挖也挖不出来，越用爪子抠蚂蟥越往里头钻，拼命打喷嚏打响鼻也无济于事，豺社会又没有外科医生可以动手术，只能任由蚂蟥顺着大鼻孔钻进脑子里去，公豺大鼻孔几个小时后便昏迷死亡。一代豺杰，竟然死在蚂蟥这样小小的软体动物手里，母豺火烧云每想到这一点，便备感痛心。在这个世界上，它第一恨狼，第二恨的就是蚂蟥，要不是蚂蟥作怪，它心爱的公豺大鼻孔不会英年早逝。当然，鼻孔太大也是致命的原因，要是没长大鼻孔，而是长普通鼻孔，也许蚂蟥就钻不进去了。漂亮出众的大鼻孔，恰恰成了断送性命的原因，真让火烧云想不通。要是公豺大鼻孔没有死，也许就能化解眼前这场生存危机。大灰母狼虽然厉害，虽然单打独斗时豺不是狼的对手，但若两只成年豺齐心协力，并肩从大肚佛窟蹿出去扭住狼撕打，不说能成功消灭狼吧，起码可以咬个平手，守住洞口，保护两只幼豺免受伤害。

此时此刻，它想不出任何办法来化解这场生存危机。

大灰母狼离洞口只有二三十米了。在这节骨眼上，母豺火烧云又犯了一个错误。它太紧张了，生怕不懂事的幼豺会叫唤或发出响动，牢牢地将两只幼豺揽在怀里，也不管它们是否需要，将乳头塞进它们嘴里。小雄豺大约是小嘴被乳头堵得太厉害，柔弱的爪子拼命在火烧云的胸口踢蹬，挣扎着想把小嘴从它的乳头上拔出来。它紧紧用爪子按住幼豺，宝贝，求求你别闹了，乖乖吃妈妈的奶，千万千万要忍耐！或许是将小雄豺的小嘴捂得太紧，影响了小雄豺呼吸，小家伙挣扎得愈发猛烈，小嘴还啃咬它的乳头。豺一生出来就有牙齿，虽然乳牙细小如碎玉，谈不上锋利，但乳头肉质细嫩，小家伙胡啃乱咬，就像大黄蜂或红头蚂蚁在叮蜇，它忍不住抽搐了一下，小家伙趁机将嘴从乳头上拔了出来，咿呀发出一声抗议似的叫唤。它的心猛地往下一沉，刹那间脑子一片空白。另一只小雌豺也从它怀里挣脱出来，咿呀咿呀叫唤，就像开二重唱音乐会。

它们毕竟还小，出生才几天，根本就不知道什么叫危险，也不懂得什么叫弱肉强食。

大灰母狼停了下来，发出一声低嚎，绿莹莹的目光聚焦在大肚佛窟，狼毛耸立，狼腿曲蹲。在洞口草丛后面窥望的母豺火烧云晓得，大灰母狼已发现目标，准备厮杀了。它心一横，咬住小雌豺的后颈皮，蹿出石洞，拼命向荒野逃窜。

它不是面对强敌就会吓得屁滚尿流的胆小鬼，也不是为了保住自己的性命不惜牺牲儿女的自私鬼。假如有百分之二十的可能战胜对方，假如牺牲自己能换取两只幼豺的生命，它会毫不犹豫地扑上去同大灰母狼拼个你死我活。可问题是，豺的身体仅有狼的三分之二大，豺牙没有狼牙尖利，力量也弱得多，一只豺同一匹狼搏杀，绝无赢的希望。与狼拼斗，无疑自杀。它若被母狼咬死，两只幼豺也必死无疑，不是被母狼咬死，就是活活饿死，绝无活下去的可能。既然如此，最明智的做法，就是逃跑，或者说撤退。

它叼起一只幼豺逃窜，也是一种求生策略。将两只幼豺分开，至少可以避免被大灰母狼一锅端。它是这样设想的，要是大灰母狼不来追赶它，它带着小雌豺就可以狼口脱身，保住母女俩性命。要是大灰母狼来追赶它，它叼着幼豺拼命跑，七拐八弯尽量转得大灰母狼头晕眼花、迷失方向，即使最后它不得不扔下叼在嘴上的那只小雌豺，但大灰母狼也许找不到大肚佛窟了，石洞里的那只小雄豺就有存活下来的可能。

舍一保一，不失为一种机智的选择。

当它冲出大肚佛窟时，大灰母狼怔了怔，随即旋风般的在它背后衔尾猛追。

豺腿比狼腿短，豺本来就没有狼跑得快，再加上它又叼着一只幼豺，速度大受影响，才跑出几十米远，甚至还来不及拐个弯，狼嘴就触碰到豺屁股了。它不得不松开嘴，扔下宝贝幼豺。

大灰母狼停止追撵，扒开草丛，将还在打滚的小雌豺一口咬死。

母豺火烧云逃到一个安全的距离，登上小山丘，提心吊胆地注视着大灰母狼的举动。

大灰母狼又闻着气味，向大肚佛窟搜寻而去。

母豺火烧云看得很清楚，大灰母狼两排乳房胀鼓鼓的，肚子一点儿也不瘪，绝不是因为饥饿而来猎食的。它的意图很明显，是不愿让豺生活在这块土地上。

母豺火烧云最后一丝希望也破灭了。大灰母狼毫不费力地找到了大肚佛窟，扒开枯草钻了进去。不一会儿，它用舌头舔理着嘴角上的血丝，又从石洞里退了出来，朝密林深处跑去。大灰母狼脚步匆匆，也许是急着赶回狼窝去给嗷嗷待哺的小狼崽喂奶呢。

等大灰母狼走远了，母豺火烧云跑回大肚佛窟，小雄豺脖颈被咬断，早已气绝身亡了。

短短几分钟的时间，一个幸福的豺家庭就这样家破豺亡了。

对野生动物来说，命运叵测，经常会遭遇飞来横祸。

大灰母狼没有吃两只幼豺，只是将它们咬杀，然后将尸体丢弃在原地，它是在用这种残忍的方式警告母豺火烧云赶快离开。

母豺火烧云嗷嗷哀泣，泪眼汪汪，心如刀绞，却也无可奈何。

第二章　成功复仇

第二天上午，母豺火烧云拖着疲惫的身体在森林里独行，准备离开日曲卡雪山。这里有山有水有茂密的树林，食物丰盈，气候适宜，远离人类居住的村寨，确实是豺居家过日子的风水宝地。但有了狼，就没有豺的好日子过。再好的土地，也会变成豺的葬身坟场。惹不起狼，只有躲开狼。很窝囊，很憋气，却也没有办法。带着惨痛的记忆、破碎的美梦和丧子的悲恸，母豺火烧云沿着古纳河溯流而上。一只瘸腿羊羔稀里糊涂撞到它身上来了，没费吹灰之力就找到一顿丰盛的午餐，它拼命吞嚼肥嫩的羊肉，想用进食来忘却痛苦。肚子吃得胀鼓鼓的，悲伤却丝毫未减。又生出另一种烦恼：哺乳一个星期，正是乳汁分泌最旺盛的时候，塞了一肚子羊血羊肉，营养过剩，两排乳房胀得难受。幼豺被大灰母狼咬死了，没谁来吮吸奶汁，只好找块光滑点的石头摩擦，挤出些乳汁来，以减缓乳房的胀痛。

就在这时，它听到萧瑟秋风间夹杂着沉重的喘息，好像是狼的声音。再迎风而立耸动鼻翼嗅闻，果然闻到狼身上那股骚臭味。它吓得连滚带爬逃进灌木丛。恶狼怎么像幽灵，它走到哪儿跟到哪儿，躲都躲不开呀？过了一阵，身后没什么动静，似乎恶狼并没有追赶上来，它这才敢停下来喘气。狼的声音再度随风传来，“吭哧吭哧”，听得它心惊肉跳。它再次摆出逃窜的姿势，那可怕的声音时断时续，仔细谛听，那喘息声又像是在呻吟，好像还有狼仔的呜咽。这是怎么回事？会不会恶狼遇到什么麻烦了？它也许可以绕到对面的小山包上去看一看，隔着山沟即使被狼发现，也不会有太大的危险。强烈的好奇心，促使它大着胆子钻过灌木丛，登上小山包，往山沟窥探。不看不知道，世界真奇妙。在小山沟里两丛灌木间的一块草地上，躺着一匹狼，紫灰皮毛，白多黑少的眼珠子，腹部上是鼓鼓囊囊的乳房。哦，就是昨天咬杀它两只宝贝幼豺的凶手——大灰母狼！不过，这匹恶狼已完全没了昨日的威风，虽然还活着，却跟死了没什么差别。不不，比死了更难受一千倍，躺在地上永远爬不起来啦！虽然相隔有一段距离，但母豺火烧云视力极佳，看得清清楚楚，它不共戴天的仇敌，那匹活该千刀万剐的大灰母狼，被捕兽铁夹夹住了身体，旁边有一黄一黑两只还在哺乳期的小狼崽。

母豺火烧云虽未被捕兽铁夹夹住过，但晓得捕兽铁夹是怎么回事，并领教过捕兽铁夹的厉害。一年前有一天，它在尕玛尔草原上悠转觅食，草丛里突然蹿出一只公豺来，向它求爱。那只公豺有一把年纪了，胡须焦黑，牙齿泛黄，呼吸时嘴腔里冒出一股难闻的腐酸味，不是口腔溃疡就是患了龋齿，背脊上还有一块体癣，看了令豺作呕。它当然不乐意与这等模样的老公豺来往，就将蓬松的大尾巴耷落下来，跳闪开去，用豺特有的身体语言谢绝对方。那老公豺不肯罢休，在它身边纠缠不清，还企图非礼它。它一面龇牙咧嘴啸叫，抵挡老公豺的非分之想，一面钻进茂密的小树林想退回自己的巢穴去。不要脸的老公豺仍然贼兮兮地跟在它身旁。走到一棵麻栗树下时，突然砰的一声巨响，好像地狱之门打开了，树下杂草丛中冲出一道光影和一股烟尘，刹那间，老公豺像被钉子钉住了一样，站在原地动弹不得，发出凄厉的啸叫。烟尘过后，它看见，一副长方形铁夹，用粗粗的铁链固定在麻栗树上，上下两根铁杆布满锯齿状三角铁，活像巨兽犬牙交错的嘴，紧紧咬住老公豺的一条后腿。它吓得魂飞魄散，拔腿奔逃。数天后，它又路过那片小树林，老公豺已经死了，满口豺牙崩裂，嘴腔堵着一团凝结的血沫，那条被捕兽铁夹咬住的豺腿皮开肉绽，露出一大截白森森的腿骨。可以想象，老公豺临死前拼命挣扎过，腿上的皮肉撕裂了，仍无法挣脱捕兽铁夹，满口牙齿都咬碎了，仍无法咬断粗粗的铁链。

假如当时它不是靠左行走，而是与老公豺交换位置，它在右边贴着那棵麻栗树行走，那么毫无疑问，一脚踩中藏在草皮下捕兽铁夹机关的就是它，地狱之门就为它敞开了。即使事情已过去几天，它仍后怕得浑身颤抖。

没想到昨天杀害它一对宝贝幼豺的凶手，这么快就遭到报应，落得如此下场。两足行走的人是豺和狼共同的天敌，但此时此刻，母豺火烧云真想给设置这副捕兽铁夹的猎人磕三个响头。

谨慎起见，母豺火烧云再次瞪大眼睛观察，该死的大灰母狼确确实实被捕兽铁夹夹得死死的动弹不了了。人类制作的捕兽铁夹威力无比，别说一匹狼了，就是一只以蛮力著称的大公野猪，一旦被捕兽铁夹夹住，也休想挣断铁链或扳开铁夹逃脱出去。

它放心大胆地蹿下小山包，朝大灰母狼出事的地点走去。

哦，上下两根铁夹正好夹在狼腰上。狼是铜头铁腿麻秆儿腰，狼腰是狼身体的薄弱环节，铁杆上犬牙般的锯齿形三角铁扎进狼的皮肉里，可以肯定，大灰母狼被夹断了脊梁。母豺火烧云来到与大灰母狼相隔仅三五米的一丛灌木背后，稍事停顿，再透过枝叶仔细看一遍。近在咫尺，一切都展现在眼前。瞧，狼尾下面屁眼儿那一堆红黄黑三色秽物，嘿，被捕兽铁夹夹出一泡狼屎和一坨血肉模糊的肠子。现在就算有神仙阿伯来帮忙砸断铁链或扳开铁夹，大灰母狼也必死无疑了。

一黄一黑两只小狼崽还很小，估计也就是出生十来天左右吧，刚刚学会蹒跚行走。出事地点左侧不远有一棵几围粗的大树，裸露在地面的树根布满青苔，树根间有一个宽敞的树洞。如果猜得不错的话，这个树洞就是大灰母狼的巢穴。母豺火烧云虽然没有亲眼看见，但从现场情况不难推断，大灰母狼清早起来，乳白色的云丝挂在瓦蓝的天空上，金色的阳光洒满绿草地，天气这么好，大灰母狼就把两只狼崽子带出树洞，到草地散步，呼吸新鲜空气，洗个日光浴，练练腿力什么的，有利于小狼崽健康成长。刚走到林中这块空地，突然平地一声惊雷，不小心踩着了捕兽铁夹。生死祸福，乃弹指一挥间啊。

两只小狼崽毕竟还小，不晓得大灰母狼已经危在旦夕，大概早晨起来还没吃过东西，肚子饿得慌，便拱到大灰母狼的腹下，想要吃奶。大灰母狼已经这个样子了，死神快把它收容去了，只剩下小半条性命，却仍关心小狼崽是不是肚子饿了，挣扎着给小狼崽喂奶。狼有十只乳房，大灰母狼腰肢被捕兽铁夹夹住，下腹部和中腹部六只乳房丧失了哺乳功能，但上腹部四只还可以喂奶。大灰母狼敞开怀，让两只小狼崽吃奶。它大概知道这是今生今世最后一次给狼崽喂奶了，深情舔理小狼崽的背，抽泣般喘息。

母豺火烧云是不会被大灰母狼表现出来的强烈母爱所感动的，大灰母狼咬杀了它一对宝贝幼豺，它现在心里只有刻毒的复仇火焰。

它大摇大摆地从灌木丛走了出来，幸灾乐祸地啸叫数声。

大灰母狼肯定已认出它来，眼睛里射出两道凶光，发出凄厉的号叫，身体拼命挣动，大概想从铁夹下挣脱出来同它搏杀，把捕兽铁夹摇得哗啦啦响，却无济于事。

别痴心妄想了，你休想再站起来了，再过一会儿，你就会变成捕兽铁夹下的死狼，你还神气什么呀！母豺火烧云闲庭信步地走到大灰母狼面前，相隔两米左右停了下来——这是个绝对安全的距离——噗地打了个响鼻，将唾沫星子和鼻涕星子喷在狼脸上。这是一种轻蔑，这是一种嘲弄，这是一种侮辱，一向被你看不起一向遭你欺凌的豺啐了你一脸，你又能把我怎么样呢？你不过是一具活尸体，你吓唬不倒我的！

大灰母狼眼睛红得像火炭，看得出来，它心里翻腾着强烈的杀戮冲动。可惜，它想暴跳如雷都跳不起来，嘴巴一张一合做出狠命噬咬的姿势，当然只能咬到一团空气而已，两只前爪也使劲抓刨地面，当然只能撕碎一些野草而已。

生气去吧，愤怒去吧，悲伤去吧，你作恶多端，活该受到最严厉的惩罚。

母豺火烧云不慌不忙地绕到大灰母狼身后，在狼腿上咬了一口，撕下一块狼肉来，大口嚼咽。它其实肚子并不饿，狼肉也不算鲜美，纯粹是为了报复而撕食狼肉。嘻嘻，活吃狼肉，在豺世界里算得上是一种空前绝后的伟大创举，可以在吉尼斯世界纪录上记下一笔，如果动物也有吉尼斯世界纪录的话。

大灰母狼穷凶极恶地号叫，活像一条被绑在案板上待宰的猪。

母豺火烧云注意到一个细节，就在它撕食狼腿时，大灰母狼虽然发疯般的号叫，但两条前腿却连踢带蹬，将两只小狼崽往灌木丛里送，显然，是想将它们藏匿起来。

活吃了两口狼肉，母豺火烧云复仇的火焰并未得到平息。大灰母狼活活咬死了它的两只宝贝幼豺，食其肉寝其皮也难解它的心头之恨。它的眼光落在两只小狼崽身上，当着大灰母狼的面咬杀这两只小狼崽，才能让大灰母狼的心滴血破碎，也是最解恨的复仇方式。以牙还牙，以血还血，以其狼之道还治其狼之身，没有什么不道德的，对它来说。

两只小狼崽不知是因为冷了还是意识到大祸临头，钻进灌木丛，互相搂抱在一起瑟瑟发抖。母豺火烧云用爪子粗鲁地将它们分开，上刑场也要讲秩序，一个一个来嘛。它就近叼了只黄毛小狼崽，正欲一口咬下去，发现这只黄毛小狼崽身上的绒毛金黄发亮，就像一朵蒲公英，倒有几分美感。出于一种奇怪的审美意识，它决定让这只黄毛小狼崽多活一会儿，而扭头叼起旁边那只黑毛小狼崽。黑毛小狼崽长得不怎么好看，长相丑陋，也应当死得快些。

当然，要把黑毛小狼崽从灌木丛里叼出来，叼到大灰母狼面前，让杀害它宝贝幼豺的凶手也尝尝眼睁睁看着自己儿女惨遭不幸却束手无策的痛苦。

大灰母狼用爪子撕扯捕兽铁夹，用牙齿噬咬捕兽铁夹，喉咙深处发出刻毒的诅咒，狼爪撕烂，狼牙一颗颗崩断，当然还是弄不开结实的捕兽铁夹。

它先从黑毛小狼崽的尾巴咬起，要把黑毛小狼崽凌迟处死。

突然间，大灰母狼身体猛烈颤抖，发出一声让豺毛骨悚然的悲嚎，嘴腔喷出一大口鲜血，脖子一挺，双眼闭合，像是咽气死掉了。该不会是装死吧？母豺火烧云深知狼的狡猾，心里生出疑问来。它撩动蓬松的豺尾，从地上扫起几片枯叶，抡向大灰母狼的脸。枯叶盖在狼嘴和狼鼻上，要是大灰母狼还有呼吸，枯叶会抖动或翻飞，它注意观察，大灰母狼脸上这几片枯叶纹丝不动。它还不太放心，放下小尾巴已被它咬断的黑毛小狼崽，绕到大灰母狼身后。有一条狼腿已被它啃吃了几口，皮开肉绽，它又在鲜血淋漓的创口上狠狠抓了几爪子，大灰母狼仍无声无息。哦，大灰母狼真死了。真没劲，它还没让它亲眼目睹黑毛小狼崽是怎样被剥皮啖肉一小口一小口咬死的，大灰母狼就闭上狼眼到另一个世界去了，使它无法再享受复仇的快感，唉，便宜这匹恶狼了。

黑毛小狼崽拖着半截被咬断的小尾巴，咿啊咿啊哭嚎着，向大灰母狼爬去。奶奶的，你是想陪伴大灰母狼一起奔赴黄泉路，是吗？好吧，我就成全你了！母豺火烧云去叼黑毛小狼崽。它要咬黑毛小狼崽，当然要挨近大灰母狼，这已经是一具不会动弹的狼尸体，没什么要紧的。就在它低下脑袋朝黑毛小狼崽后颈咬下去时，突然，它觉得眼前有什么东西蹦弹了一下，心头一惊，出于一种本能的戒备，它急速往后跳闪。哗啦一声，捕兽铁夹猛烈晃荡，大灰母狼炸尸般的蹦跶起来，狼眼圆睁，狼嘴大张，脖子最大限度地扭伸过来。它虽然在一瞬间惊醒，反应极快往后跳闪，但因离大灰母狼太近，那臭烘烘的狼嘴还是刺探到它脖颈上来了。不幸中的万幸，那捕兽铁夹上的铁链已经绷紧，拉住大灰母狼的身体，狼嘴无法再向前探伸。咔嚓，狼牙咬下来，咬住它颈部一撮豺毛。大灰母狼咬紧牙齿用力拽拉，两只能小范围活动的前爪也竭力伸过来作搂抱状，意图再明显不过了，是要将它拽进怀里去，撕抓噬咬。它当然不愿被母狼拖过去，拼命往后拔。这是一场生与死的拔河比赛，它四只豺爪在草地上蹬出四只浅坑，大叫一声，猛烈拧动自己的脖颈。嘣的一声，颈部豺毛被拔断了，它用力过猛，往后摔倒，在地上打了个滚。

狼的阴险，出乎它的想象，狼顽强的生命力，也超出它的预料。

好险哪，要是它反应慢半拍，没能及时往后跳闪开，要是捕兽铁夹上的铁链子再长那么一寸，大灰母狼就不会是仅仅咬掉它一撮颈毛了，而是咬住它的脖颈。要真是这样的话，大灰母狼是死也不会松口的。即使它用豺牙将狼脖子咬断，即使它用豺爪将狼眼珠挖出来，大灰母狼也绝不会松开尖利的狼牙。大灰母狼已经被捕兽铁夹夹住，不求能死里逃生，只求能同归于尽，当然愿意临死前抓个垫背的。

狼装死的技巧，比豺高明多了，它差一点儿上当受骗，成了大灰母狼的殉葬品。它怒火中烧，旧仇未消又添新恨，眼光一扫，已被咬断尾巴的黑毛小狼崽正要往草丛里钻呢，它嗖地扑蹿过去，一口咬住黑毛小狼崽细嫩的脖颈，凌空提起来，用力拧咬。黑毛小狼崽眼球暴突，四肢在空中徒劳划动，发出比老鼠还难听的吱吱的叫声。

大灰母狼绝望地号叫着，将唇齿间那撮豺毛反复嚼咬，以发泄心头怒火。

很快，黑毛小狼崽便停止挣扎，小命玩儿完了。

母豺火烧云这才想起，自己本来是打算把黑毛小狼崽凌迟处死的，现在却一口就结果了它的性命，处理得也太快了一点儿，不足以让大灰母狼遭受毁灭性的悲痛。不过不要紧，还有一只黄毛小狼崽，可以拿来凌迟处死。

它毫不费力就从旁边灌木丛中叼出黄毛小狼崽。

黄毛小狼崽墨玉似的鼻吻，润泽的嘴唇，细长秀气的单凤眼，一副俏模样，但丝丝缕缕的美感绝不会减弱火烧云杀戮的冲动。美是脆弱的，怎敌得过复仇的毒焰？

母豺火烧云毫不怜惜地衔住黄毛小狼崽的腿，嘴角发出呜呜声，那是提醒大灰母狼注意，我要像拆零件一样咬下你心肝宝贝嫩生生的小腿啦！奇怪，大灰母狼仇恨的眼睛虽然瞪得很大，身体却停止了挣动。狼嘴里涌出一团比罂粟花还大的冒着泡泡的血沫。

哼，你还想装死来骗我呀，我是白痴才会再次上你的当！母豺火烧云暂且将黄毛小狼崽放在地上，转动豺眼，寻思能有效揭穿大灰母狼装死伎俩的好办法。豺的智商并不亚于狼，它很快就想出一个万无一失的能检验大灰母狼是真死还是假死的绝妙方法。它先用爪子在地上抓刨了一阵，刨出一些粉尘状泥沙，然后尾尖勾弯，撩起泥沙抛掷到大灰母狼脸上。虽然豺尾做抛掷动作有点儿笨拙，但斜着身体反复撩拨地上的泥沙，总有一些泥沙盖在了狼脸上，睁得溜圆的狼眼里，也落进一层泥沙去。人类有句俗话说，眼睛里容不得沙子，这句话同样适用于动物。动物的眼睛里也容不下沙子。平常遇到刮风，眼睛里不小心吹进一粒沙子就难受得要命，使劲眨眼睛还会流泪，还要不断用爪子去揉眼睛。假如大灰母狼是在装死，狼眼落进泥沙，再怎么装也会不由自主地将眼皮阖拢。它注意看大灰母狼，狼眼仍睁得很大，眼珠子上蒙了一层泥沙，狼眼仍凝然不动。

大灰母狼死了，这一次是确确实实死了，一颗邪恶的狼心停止了跳动。狼眼还睁着，那是饮恨而死，死不瞑目。母豺火烧云挺遗憾的，复仇才复了一半，还没玩够呢！但不管怎么说，大仇已报，咬杀它宝贝幼豺的凶手得到应有的下场，它长长地舒了口气。

黄毛小狼崽在草地上蹒跚爬动，咿啊咿啊地叫唤，出于一种求生的本能，还想往灌木丛里钻。母豺火烧云一爪子将黄毛小狼崽从灌木丛边缘打回空旷的草地。大灰母狼死了，再要凌迟处死黄毛小狼崽，就没有什么意思了；报复对象不存在了，报复也就没有意义了。豺虽然是食肉动物，饥饿时免不了会杀生，但决不是嗜杀成性的刽子手。假如不是为了报复，它不会无缘无故去猎杀其他动物的。它刚刚吃了一只小羊羔，一点儿食欲也没有，也就没了杀戮的冲动。当然，也不能放过黄毛小狼崽，毕竟是仇敌的后代，还是要收拾掉的。处理黄毛小狼崽最好的办法，就是带回大肚佛窟去，就像带食物回家一样，什么时候饿了什么时候吃。

这是一块青山绿水美丽的土地，这是一块食物充盈富庶的土地，这是一块它十分热爱眷恋的土地。它是害怕大灰母狼才被迫想要搬迁的，现在，大灰母狼已经死了，这一带不会再有狼的踪迹，这块土地又属于它了，它不再需要背井离乡到别处去生活了。

第三章　餐后甜点

母豺火烧云把黄毛小狼崽叼回了大肚佛窟，扔在石洞底端的角落里。这是它的战利品，也可以说是它的小俘虏。它想等肚子饿了再下手，活杀活吃，味道更鲜美。

黄昏时分，天上下起小雨，气温骤降。刮的是西北风，淅淅沥沥的雨丝从洞口灌进来，大肚佛窟里潮湿阴冷。黄毛小狼崽出生也就是十来天时间，身上热量本来就不足，细皮嫩肉上只覆盖着一层薄薄的绒毛，耐不住冷风吹袭，缩在角落里直打哆嗦，咿啊咿啊地发出颤抖的叫声。母豺火烧云冷冷地瞥了它一眼，没有任何怜悯之意。豺社会可没有优待俘虏的政策，别指望谁会替你遮风挡雨。母豺火烧云找了个避风的石旮旯，身体蜷成圆圈，闭目养神，蓬松的豺尾围在脖子上，就像围了一条保暖围巾。

它刚进入似睡非睡状态，突然觉得耳朵痒痒的，好像有什么东西在轻轻搔它。睁眼一看，嘿，竟然是黄毛小狼崽！小浑蛋不知什么时候从大肚佛窟底端的角落爬了出来，肯定是冷得受不了了，出于一种求生本能，爬到它身边，用小嘴亲吻它的耳朵，向它乞讨温暖。它气不打一处来，扭过脸去，龇牙咧嘴低啸一声：你是活得不耐烦了，想早点儿被我咬死，是吗？滚，快滚开，不然的话我现在就咬断你的脖子！黄毛小狼崽也许是饥寒交迫实在受不了了，也许是光线太暗没看清它凶神恶煞的表情，仍往它怀里头拱呢。真不要脸，小小年纪就这般无赖，苍蝇似的黏在身上赶也赶不走。它一爪子将小家伙拍开，小囚犯，钻怀取暖，想得倒美！把你冻得像石头一样硬邦邦才好呢，冷冻食品，天然保鲜。黄毛小狼崽在地上摔了个跟斗，爬起来抖抖身体，还是一个劲儿往它怀里钻。它往后退两步，小浑蛋竟然往前追两步，不达目的誓不罢休，非要钻到它怀里来不可。它总不能被一只黄毛小狼崽逼得逃出大肚佛窟去吧，外面正在下雨，它可不愿让自己淋成一只落汤鸡。小家伙毛色鲜艳，憨态可掬，看着倒还顺眼，也不怎么脏。天已经完全黑了，秋风秋雨，母豺火烧云也觉得有点儿冷。两只宝贝幼豺还活着时，夜半寒风瑟瑟，母子仨搂在一起，倒也温暖。唉，两只宝贝幼豺已经不在了，已无法同小宝贝依偎在一起互相取暖了。怎么身上感觉越来越冷了呀，让黄毛小狼崽钻进怀里来，也许就是一只免费小火炉，能帮它驱散风雨之夜的寒意哩。

这么一想，它让黄毛小狼崽钻进怀里来了。

黄毛小狼崽在它怀里蠕动着，弄得它痒痒的。风雨之夜，两个孤独的生命相拥而眠，确实暖和多了啊。小浑蛋大概真的是饿了，闻到它的乳香，竟然来吃它的奶。小毛贼，你还得寸进尺呢！你再敢偷奶吃，看我一口咬断你的脖子！母豺火烧云尖利的豺牙衔住黄毛小狼崽的脖颈，嘴里发出威胁的啸叫。狼崽还小，根本不知道什么叫杀身之祸，小嘴仍找到乳头，贪婪地吮吸起来。母豺火烧云想将豺嘴用力一阖，送偷它奶吃的黄毛小狼崽上西天去，可不知为什么，它好像失去了噬咬的力量，怎么也咬不下去。奶汁汩汩流淌，黄毛小狼崽舒服得嗯呀嗯呀叫唤。母豺火烧云胀痛的乳房霎时间变得松弛，紧张焦虑的情绪烟消云散，升腾起难以言状的快感，继而有一种母性的缱绻慵懒，什么也不想动，只想搂着小浑蛋甜甜地进入梦乡。

也许，可以让黄毛小狼崽多活几天，帮它解决乳房的胀痛。

黄毛小狼崽是只小雌狼，火烧云给它起名叫甜点心。甜点心者，食品也，候补食品，可口食品，高档食品。

要是找不到食物，腹中空空，就拿甜点心来充饥。

也许是天意，虽然时令已进入食物匮乏的深秋，但母豺火烧云一连几天运气都不错，今天捉到一只野雉，明天挖到一窝田鼠，后天又捡到一条在岸上搁浅的鲑鱼……没有遭遇饥荒，当然也就用不着拿甜点心来充饥了。

甜点心吃饱奶后，表现出活泼可爱的天性，蹒跚奔跑，在地上打滚，揪它的尾巴，啃它的爪子，还喜欢在它身上爬来爬去。小家伙很快适应了新的生活，有奶便是娘，把母豺火烧云当作自己的妈妈。

下午，斜阳西照，母豺火烧云扒开洞口的衰草，让初冬温煦的阳光晒进洞来。一面晒太阳，一面欣赏甜点心傻头傻脑表演节目，倒也是一种挺有趣的休闲方式，能有效地慰藉孤独寂寞的心。

有时候，甜点心在它怀里撒娇，它心头暖烘烘的，脑子轻微晕眩，忍不住会伸出舌头轻柔地舔理甜点心的体毛。它这样做了，又后悔不该这样做，怎么能对仇敌的遗孤缠绵亲昵呢？它怀疑自己的感情是否畸形扭曲，是否变质变味。它对自己解释说，甜点心是候补食物，它是在爱护食物，珍惜食物而已。这样才勉强保持心理平衡。

转眼二十天过去了，甜点心已会蹒跚奔跑，由于营养好，长得胖嘟嘟的，绒毛也变得鲜亮起来。储存的食物在膨胀在增值，过去只够吃一顿的，现在够吃两天了。就像人类把猪养肥了再杀一样，它也把甜点心养大养肥一点儿再吃，味道更鲜美，吃起来一定满嘴流油，母豺火烧云时常这样想。

第四章　智斗雪狐

冬天来临了，气温骤降，雪线从山顶下到山腰，接连几场鹅毛大雪，大地披了一层雪被，放眼望去，整个日曲卡山麓一片白茫茫。

豺狗别名又叫红豺，皮毛呈土红色，在山花烂漫的季节能像迷彩服一样起到伪装作用，但在雪被中却十分抢眼，很容易暴露目标。因此，对豺来说，冬天是饥荒的代名词。

好不容易盼到雪霁天晴，母豺火烧云跨出大肚佛窟外出狩猎。来到一片杉树林，发现百米开外的空地上，有一只黄麂正在扒开积雪啃食草根，它顺着一条隐秘的雪沟朝黄麂靠近，刚走了一半，突然从枝头飞出两只大绯胸鹦鹉，扑扇着五彩翅膀在它头顶盘旋。它往前走它们也往前飞，叽里呱啦地鸣叫，好像哨兵在发警报一样。黄麂顿时警觉起来，抬起头朝雪沟看了一眼，撒腿飞奔，不一会儿便逃得无影无踪。眼瞅着快要到手的猎物逃走了，它气得要吐血，扬起脸朝那对大绯胸鹦鹉狂啸，要是它有翅膀的话，非要将这两个捣蛋鬼抓住，把它们美丽的羽毛一根根拔下来，让它们变成丑陋的赤膊鸟！遗憾的是，它没有翅膀，不会飞翔，奈何不了这对鹦鹉，啸叫发泄一通后只有垂头丧气地离开。

中午，火烧云来到山脚下，运气还不算太坏，看见一只雪兔正在一棵大树底下啃食从树冠掉下来的浆果。雪兔是豺最喜欢捕捉的猎物。豺是中型食肉兽，单枪匹马很难对付野猪、野羊、野牛之类的大型动物，十有八九是要落空的；而老鼠、青蛙、蓬间雀之类的猎物虽然较易抓捕，却体小肉少，属于袖珍型食物，辛苦一次只够打牙祭，根本吃不饱。最理想的就是雪兔了，生性胆小不会反抗，捕猎时不用担心自己会受到意外伤害，有十多斤重，不大不小刚刚合适，节省点儿的话够吃两天的。兔肉低脂肪高蛋白，营养丰富口味甚佳，只有一点比较麻烦——俗话说狡兔三窟，雪兔也不例外，起码挖掘两个以上的地洞，有好几次追着追着眼看就要扑到兔背上了，突然雪兔像有隐身法似的从地面消失了。仔细寻找，便发现灌木丛或土埂下有个隐秘的地洞，这才晓得狡猾的雪兔钻洞逃遁了。它吃过几次亏后，总结出一套捕捉雪兔的经验。首先不能像捕捉其他猎物那样一见到目标就紧追不放，而要站在远处静静观察，察看雪兔挖掘的地洞大致在什么方向；人类用兔子胆来形容懦夫，这句话是有一定道理的。雪兔确实胆小，稍有风吹草动，就会扭头逃窜，一群燕子在草丛中啄食蚂蚱弄出点响动，也会让雪兔害怕，两只长耳朵全方位转动，四肢曲蹲摆出跳蹿的姿势。这时候，只要看兔头转向何方，雪兔准备往哪个方向逃跑，就可以基本确定该雪兔的地洞挖在什么地方，然后在出击时，堵住雪兔往洞穴去的退路，即可获得成功。它运用这套经验，果然奏效，逼着那只雪兔落荒而逃，它在后面衔尾猛追。到了这个时候，几乎可以肯定，这只雪兔已是它的囊中物盘中餐了。雪兔一旦无法钻进事先挖掘好的迷宫似的地洞，而被迫慌不择路乱逃一气，心理上就先输了三分，求生意志大幅度削减。雪兔前肢短后肢长，虽擅连续跳跃，速度快疾如飞，但耐力很有限，只能短跑而不能长跑，在无洞可钻的旷野跑不了多长距离，就会口吐白沫瘫倒在地。

豺以耐力著称，速度也不比雪兔慢，跑着跑着，母豺火烧云与雪兔之间的距离越缩越短，仅剩下不足二十米了。这时候，它已将雪兔驱赶到陡峭的山坡，迫使雪兔往山下逃亡。雪兔前肢短后肢长，这特殊的生理构造适合在平地上跳跃，却不适合在山坡上奔跑，尤其不适合从较陡的山坡往山下跑，稍不留神身体就会失去平衡滚下坡去，摔得鼻青脸肿。胜利在望，它就要吃到美味兔肉啦。嘿，雪兔下坡的能力确实很差劲，才蹿跳四下，便像只雪球一样往坡下滚去。这是一个咬翻雪兔的好机会，它加速往前赶。前面有一道雪坎，也就比它身体稍高一点儿，按它平时的蹿高能力，这么一道低矮的雪坎，纵身一跃就可轻轻松松跳跃过去。它助跑起跳，突然，它明显感觉到身体不怎么听从使唤了，虽然竭尽全力蹿跃，却并没能跳出应有的高度，四条腿变得像木棍般僵硬，一下绊在雪坎上，身体重重栽倒在地。幸亏山坡上铺着厚厚一层积雪，它没受什么伤，但脑子一阵晕眩，眼睛冒出许多金星。那雪兔滚出二三十米后，被一丛衰草挡住，急急忙忙爬了起来，调转方向，沿水平线往山坡右侧的灌木丛逃去。它心里挺焦急，要是被雪兔逃进密密匝匝的灌木丛，再去寻找和追捕就非常难了。好在雪兔刚才从山坡滚落下去，一条兔腿大概扭伤了，跑得歪歪扭扭，速度很慢，就跟穿山甲在爬差不多。它现在跳起来追赶的话，还能在雪兔逃进灌木丛前将其扑倒咬翻。它使使劲站起来，腿骨仿佛是用柳絮搓成的，刚刚站直就四肢发软，又一头栽倒在雪窝里。它晓得，自己太饿了，已经整整两天没吃东西，饿得头晕眼花，体质非常虚弱。它只有躺在雪地里喘息，眼睁睁看着雪兔一瘸一拐逃进茂密的灌木丛。

对那只雪兔来说，豺口脱险，死里逃生，是值得庆贺的喜事。对母豺火烧云来说，快到嘴的食物逃逸，饿得半死不活，又面临一场生存灾难。

躺了一会儿，稍稍缓过点儿气来，火烧云将豺脸埋进雪里，嚼了两口冰碴儿，勉强生出点儿力气来，能摇摇晃晃踏着醉步走路了。现在就是钻出一只乌龟来，它恐怕也没力气追上了。再待在冰天雪地里，弄不好什么时候一脚踩空饿得昏倒，变成雪地里的一具饿殍。天又阴下来了，只有回家去，大肚佛窟至少要暖和些。哦，对了，大肚佛窟还有一份可口的“甜点心”呢。

母豺火烧云正垂头丧气往回家的路上走，咯吱咯吱，身后传来爪子踩踏积雪的轻微的声音。火烧云吃力地转动身体往后看去，昏暗的雪光中，闪过一对雪狐的身影，贼头贼脑跟在它后面，离它约有五六十米远。

雪狐是日曲卡雪山一带特有的动物，比普通狐狸脸更尖一些，皮毛也更厚密一些，由于生活在雪线以上的寒冷地带，为适应环境，皮毛为银白色，故称为雪狐。

母豺火烧云试探了一下，它急步往前走，两只雪狐也跟着急步往前走，它停下来，两只雪狐也跟着停下来。这证明，两只雪狐并非偶然路过此地，而是有意跟随在它身后。在高山雪域，一种食肉兽盯梢似的跟在另一种食肉兽身后，无非有两种目的：第一种是企图等被盯梢者捕获到猎物后，跑过来伺机分一杯羹；第二种是将被盯梢者当作候选猎物，暗中寻找下手的机会。

很明显，精明的雪狐已看出它快饿得虚脱了，将它视为可以攻击的猎物。

雪狐身体比豺小，爪牙和胆识也比豺弱，在大自然弱肉强食的食物链条中，狐一向在豺的下面，而现在两只雪狐竟敢打它的主意，把它当作捕食对象。一股怒火蹿上心头，它真恨不得狂啸一声扑到这两只雪狐身上，咬掉它们毛茸茸的耳朵！可它明白，生气解决不了问题，愤怒只能加剧这场生存危机。它的体力早已严重透支，快速奔跑的话，最多只能跑七八十米就会瘫倒在地，反而会把仅剩的一点儿力气消耗殆尽，失去最后的反抗能力，便宜这两只鬼鬼祟祟像幽灵似的跟在它后面的雪狐。

在险恶的大林莽，强与弱是相对的。在一定的条件下，如衰老、饥饿、生病、受伤等，强与弱会转化，强者变弱，弱者变强，大自然食物链条上的秩序就会被打乱，捕食者与被食者的关系发生颠倒。

火烧云肚子空空，走得有气无力，爪子陷进积雪，感觉就像陷进泥潭一样，费很大力气才能拔得出来。突然，它的前腿被一根埋在积雪下的藤蔓绊了一下，一个趔趄又摔倒在地。“呦——嗬——”两只雪狐兴奋地叫了一声，往前蹿来，由躲躲闪闪变得明目张胆，跑到离它约十多米的地方，居心叵测地窥探它的举动。它两次想站起来，可不听话的腿就好像不长在自己身上一样，还没站稳就又摔倒了。两只雪狐胆子更大，不怀好意地一步步朝它逼近。

它可不愿成为两只雪狐的午餐啊。假如它现在能吃点儿东西，哪怕吞进一只老鼠，它就有力气与这两只混账雪狐周旋。虽然是一对二，它在数量上占了劣势，但它不会输给这对雪狐。从力量、爪牙和意志等综合角度衡量，一只豺是能同时对付两只雪狐的，起码可以打个平手。可它现在饿得连路都走不动了，也不可能发生奇迹有哪只愚蠢的老鼠肯自动钻到它嘴里来给它充饥，就这样和两只雪狐硬拼的话，结局肯定不妙。

它没有力气与这两只雪狐搏杀，也没有力气跑快些摆脱这两只幽灵似的雪狐。

假如不予理睬，继续这样往前走的话，危机只能一步步加剧。这两只雪狐既然已经盯上它了，是绝不会轻易放弃的。它爬上雪坡，它们也会跟上雪坡，它到尕玛尔草原，它们也会跟到尕玛尔草原，一直到它实在走不动栽倒在雪地里，它们就会扑到它身上来，咬断它的喉管，饮它的血吃它的肉。

必须想个办法打消这两只雪狐把它当作候补食物的坏念头，必须让这两只雪狐不再像催命鬼似的跟在它身后。

办法当然是有的，最现实的办法就是用假象来迷惑吓退这两只雪狐。装得生命力还很旺盛的样子，拼出最后一点儿力气颠跳咆哮，反守为攻朝两只雪狐摆出扑咬姿势。两只雪狐见它并没有饿得虚脱，见它不像是奄奄一息的候补食物，见它仍是健康壮实威风凛凛充满活力很不好对付的成年豺，或许就会被吓唬住，知难而退，放弃对它的跟踪盯梢。可它这么做，能骗过雪狐狡猾的眼睛吗？它已饿得快虚脱了，刚才追撵雪兔也已精疲力竭，能不能高声啸叫大成问题，有没有力气摆出扑咬攻击的姿势也是个未知数。假如张口号叫，叫不出威风凛凛杀气腾腾的豺啸，而发出生命衰微的哀啸；假如摆出跃跃欲扑的姿势，缺乏凶猛的气势和压倒一切的豪情，而力不从心再次跌倒或动作软绵绵气喘喘像泥捏纸糊的玩具豺，反而会弄巧成拙露出破绽来，更被对方看透自己的虚弱，促使这两只雪狐前来厮杀。狐狸是高智商动物，虚张声势很难瞒过狐狸的眼睛。人类都很嫉妒狐狸聪明的脑袋瓜，把狐狸当作狡猾的代名词。要想蒙骗狐狸，要想让狐狸多疑的眼睛看不出破绽，要想在两只贪婪的雪狐面前转危为安，必须要想个出乎意料的绝妙的办法。

这两只雪狐之所以敢跟在它后面，是因为看到它腹部空瘪，饿得肚皮贴到脊梁骨，走路摇摇晃晃东倒西歪，认定它是快饿得虚脱快饿晕过去。假如它现在有东西吃，找到食物塞饱肚子，让那空瘪的肚皮鼓出来，两只雪狐发现饥寒交迫的豺突然间变成了丰衣足食的豺，也许就会知难而退放弃对它的跟踪盯梢。说到底，豺身体比雪狐大，正常情况下，雪狐是不敢袭击豺的。当然，它现在不可能找得到东西吃，但它可以让这两只雪狐以为它已经找到东西吃了。真真假假，兵不厌诈，才能克敌制胜。

母豺火烧云拐进一片小树林，枝丫遮挡，树林里光线昏暗，便于它制造假象。它走到一棵树下，突然眼睛放光，欢呼似的啸叫一声，急急忙忙扑了上去。这是意外发现食物的表情。它相信，跟在它身后的雪狐肯定会看见它的表演。它扑到树下，做出格斗噬咬的假动作，紧紧搂抱住一堆积雪，好像生怕好不容易得到的食物被别的猛兽抢了去，大口撕扯，大口嚼咬，大口吞咽，动作十分逼真，就像真的在享用珍馐美馔。它一面吃还一面发出咕噜咕噜的低吼。快要饿死的豺，突然交了好运，捡到一顿丰盛的午餐，当然是兴奋得忘乎所以了。它确实在嚼咬在吞咽，但不是嚼咬吞咽可充饥的肉食，而是在嚼咬吞咽地上的积雪。它的牙齿冷得酥麻，舌头也冻得失去知觉。那冰雪吞进肚去，肚子变成冰箱，冷得瑟瑟发抖。它长到这么大了，还是第一次吃雪，寡淡乏味，一点儿也不好吃。人类有吃刨冰雪糕的习惯，豺可没这种嗜好。但不想吃也得硬着头皮吃，就眼前来说，唯一能吃的东西就是积雪了，而泥土、树叶和石头，这些东西豺更没法下咽。虽然吃得很痛苦，吃得很别扭，可它还得做出吃得津津有味、吃得满嘴流油、吃得兴高采烈的样子来。

它一面吃着积雪，一面乜斜眼睛注意观察两只雪狐的反应。它们也跟着它走进树林来，蹲在离它二三十米远的地方，面面相觑，显得很失落的样子，哦，它们看见它在吃东西了，把它当猎物的想法已开始动摇。

冰雪吞进肚去，在体温的作用下，融化成水。就像一只掉进河里灌了一肚子水快要溺毙的豺，它的肚子鼓了起来，圆滚滚像只皮球。装一肚子水的感觉和装一肚子肉的感觉截然不同：装一肚子水，肚子胀得喘不过气来，肚子里翻江倒海，难受得想呕吐，可心里头仍然是空落落的，饥饿感丝毫未减弱；装一肚子肉的话，肚子里有了实在内容，心里头踏踏实实，打出一串香喷喷的饱嗝儿，惬意地伸个懒腰，神仙一样快活。虽然难受得要命，它还得装出吃饱喝足的模样，舒适地蹲在树下，悠闲地舔理嘴角与爪掌。那两只雪狐仍在树林边缘徘徊，用一种狐疑的表情远远打量它。它腆起圆鼓鼓的肚皮，迈动慵懒的步子，还不时打出一个饱嗝儿，朝那两只雪狐走去。以守为攻，这是最好的斗争策略。两只雪狐目光在它胀鼓鼓的腹部转了几圈，终于相信它确实已找到食物塞饱肚皮。既然这样，再继续跟踪盯梢，就变成愚蠢可笑得不偿失的举动了，它们垂头丧气地哀啸数声，转身小跑而去。

它运用豺的智慧，巧妙化解了一场严峻的生存危机。

目送两只雪狐远远离去，母豺火烧云瘫倒在地。它本来就因极度饥饿，体内产生不出新的热量，感觉寒冷彻骨；又吞下大量冰雪，有限的身体热量消耗殆尽，肚子和四肢冷得快结冰了，脑袋晕得厉害，肠胃一阵阵痉挛，像刀绞般疼痛。张嘴想呻吟，噗噗吐出几口清水来，下身也滴滴答答排泄个不停，就像患了小便失禁症，上吐下泻，吐出来和拉出来的全是水。开始是清水，后来清水里夹杂着殷红的血丝，五脏六腑仿佛都要吐出来拉出来了。圆鼓鼓的肚皮迅速萎缩下去，比原先瘪得更厉害，就像害了一场大病，浑身一点儿力气也没有，身体已临近衰竭了。它眼皮发沉，很想躺下来睡一觉，可又担心那两只该死的雪狐再回头来找它，只好支撑起虚弱的身体，走几步歇一歇，回大肚佛窟。

在攀登一道山梁时，走了一半，老天爷又下起雪来。风雪迷漫的黄昏，它的心情变得更加凄凉，实在走不动了，靠在背风的大树下喘息。突然，头顶传来乌鸦一声尖叫，紧接着一样东西从树上掉落下来，噗地掉在雪地里。它一看，真是天无绝豺之路，竟然是一只羽毛还没丰满的小乌鸦。它喜上眉梢，这真是天上掉下馅饼似的幸福啊。小乌鸦翅膀凋零腿杆折断，已经不行了，但还没有死，纤细的脖子无力地伸缩着，发出微弱的叫声。它扑上去，来不及拔毛，将小乌鸦整个咬进嘴里，胡乱嚼了几口，便迫不及待地吞进肚去。饥饿感总算稍稍得到一点儿缓解。遗憾的是，这不是个头硕大的大嘴乌鸦，而是普通的寒鸦，体型偏小，成鸟也仅有岩鸽那般大，而掉下来的是只黄口小乌鸦，只有成鸟一半大，连骨头带羽毛带肉也最多三两重，根本塞不饱肚皮，仅够塞牙缝的。虽然饥饿感暂时得到缓解，但离吃饱肚子还差得远呢。如果允许它敞开肚皮吃的话，它一口气起码可以吞下十只小乌鸦。

树上掉下还不会飞翔的小鸟，在树林里并不算是稀罕事。有时，半大的雏鸟在枝丫间玩耍，一不留神便会失足从树上掉落下来；有时，发育良好身体壮实的雏鸟欺负发育不良身体羸弱的雏鸟，挤兑啄咬，弱者被迫爬出鸟巢，山风吹来，站立不稳，便会从枝头摔下来；有时，某只雏鸟患某种疾病，亲鸟怕传染其他雏鸟，就把奄奄一息的雏鸟抛下树来；有时，亲鸟外出觅食发生意外，雏鸟千呼万唤也不见亲鸟回来，实在饿极了，便爬出鸟巢寻找食物，因为早已饿得头晕眼花，没走几步就从树上栽落下来。

母豺火烧云蹲在树下，抬起头来，眼巴巴望着树梢间若隐若现的老鸹巢，希望能一只接一只掉下小乌鸦，就像成熟的野果子自动掉下树一样，供它充饥。人类是守株待兔，它是守株待鸦。等到铅灰色的暮霭迷漫山谷，等到肚子又开始咕噜咕噜叫，树上没有再掉下小乌鸦来。风雪之夜，它冷得直打哆嗦，再傻等下去的话，吃不到小乌鸦不说，自己恐怕要变成乌鸦的食物了。没办法，它只好垂头丧气离开。

天快黑时，母豺火烧云终于回到大肚佛窟。这几天气候太恶劣，很难找到食物，它为了蒙骗两只居心叵测的雪狐，塞了满满一肚子冰雪。虽然已呕吐排泄干净，但肚子难受得要命，浑身软绵绵的提不起精神来，更增加了狩猎难度。再饿下去，它连性命都保不住了。开仓赈灾，只有动用战备粮、救济粮了。甜点心已经养大了不少，节省点儿的话，可以维持三天。小狼崽的肉肥肥嫩嫩，入口即化，即使在平时，也是上等佳肴，饥荒关头，更是救命的好东西！它一路想得口水滴答，饥饿感越来越强烈，恨不得一步就跨进洞去，立刻咬开甜点心的喉管，痛饮一顿滚烫黏稠的狼血，饱餐一顿香喷喷的小狼肉。

它前腿刚跨进大肚佛窟，呦呜呦呜，甜点心就激动地叫着从乱石块后面蹿出来，扑到它身上，撵也撵不走推也推不开，在它身上又舔又亲，诉说着思念、等待、焦虑。它晓得，自打它上午外出觅食，小家伙独自待在石洞里，每一分钟都在焦急地盼望它归来。等到下午不见它身影，等到黄昏仍不见它身影，忧心如焚，望眼欲穿，所以听到它的脚步声闻到它的气味，激动得无法形容，扑到它身上拼命亲热。小东西，倒还懂点儿感情。也不知是大肚佛窟里温暖如春的缘故，还是被甜点心火炭般的热情所感染，它脑子一热，把要喝狼血啖狼肉的事忘得一干二净。奇怪的是，饥饿感也好像被一种神秘的力量压制下去，不怎么厉害了。它不仅没咬断甜点心的喉管，还把小家伙紧紧搂在怀里，喂小家伙奶吃。两天没进食，乳汁很少，小家伙在它怀里拱了半天，也才吃了个半饱。天黑了，小狼崽甜点心把头枕在母豺火烧云的臂弯里，惬意地伸了几个懒腰，睡着了。

一阵冷风灌进洞来，母豺火烧云打了个寒噤，昏热的脑子渐渐清醒，饥饿感又开始泛滥。它觉得自己太可笑了，站在大肚佛窟外面，还一门心思想着要怎么宰杀小狼崽，一跨进石洞来，稀里糊涂就把杀吃甜点心的事给忘了，反而还给小家伙喂奶。它觉得自己实在太犯傻了，甜点心是什么东西，杀子仇敌的遗孤，死有余辜的小狼崽。当初留着小家伙没一口咬死，就是为了冬季食物匮乏时用来充饥的，就好比人类豢养家畜，目的就是养大了杀吃，这是很正常的事情。它是豺，生来就是茹毛饮血的食肉兽，它只要活在这个世界上一天，就免不了要猎杀其他小动物。事实上，它这一生猎杀过不少小雪兔、小野鸡、小斑羚、小老鼠、小狸猫，从没觉得有什么心理障碍。从某种意义上说，凡食肉兽，自己的生存都是寄托在其他生命的死亡上。吃掉甜点心，既不存在道德问题，也不应该存在感情问题。它可不是什么慈善家，捡一只没妈的小狼崽来抚养。说实话，它之所以让甜点心活到今天，有一个很重要的原因，就是自己正处在哺乳期，奶水旺，如不及时吮吸，乳房胀痛得厉害。现在这个问题也解决了，体内生物钟已指向哺乳末期，就是断了奶，它的乳房也不会胀痛了。它没有理由再让小狼崽活着。它是豺，它不缺杀戮的勇气，大灰母狼曾咬杀它的宝贝儿女，它也不缺杀戮的理由。天灵灵，地灵灵，我的宝贝被狼吃，我吃狼崽理应当；天灵灵，地灵灵，狼崽是道甜点心，咬杀充饥很正常。它默默念叨，让自己心肠硬起来。

可不知道为什么，总有一种难以割舍的柔情在心头萦绕。

它舔着甜点心的后颈，心想，假如以闪电般的速度一下就咬断甜点心的颈椎，让小家伙从睡梦直接进入长眠不醒，这样就死得毫无痛苦，也算是一种仁慈。不管怎么说，小家伙吃了它一个多月奶，它不忍心让小家伙遭受临死前的痛苦。它张开嘴，轻轻衔住甜点心的后颈，闭起眼睛，准备噬咬下去。可是，它总觉得有一种无形而又强大的力量，使它没法咬得下去。小家伙在睡梦中发出呢喃声，大概有点儿冷了，小脑袋使劲往它怀里拱。它不由自主地将身体更蜷曲些，把小家伙紧紧捂在自己胸口。杀戮的冲动又变得如此脆弱，像水蒸气一样消失得无影无踪了。它叹息一声，把甜点心的后颈从利齿间吐了出来，伸出舌头，舔理小家伙凌乱的颈毛。

对哺乳动物来说，喂奶的过程，其实也是情感交流的过程。幼兽在吮吸乳汁时，对哺乳的母兽自然而然会产生依恋之情；母兽在喂奶时，对吃自己奶的幼兽，自然而然会产生舐犊之情。即使彼此没有血缘关系，也会产生亲密无间的母子感情。

小狼崽还没断奶，养得不够大也不够肥，现在就杀吃有点儿可惜了，母豺火烧云这么想。再养一段时间，等小狼崽变成半大的狼崽，吃起来会更过瘾。反正，小狼崽已是笼中鸟瓮中鳖，跑不了也逃不脱的，什么时候想吃就什么时候杀吃，不用着急。

第五章 村寨逃生

半夜，风雪小了些，对面山梁传来猫头鹰的叫声。小狼崽甜点心已经睡熟了，发出轻微的梦呓和磨牙声。母豺火烧云悄悄起来，钻出大肚佛窟，顶着风雪朝山外走去。它肚子饿得慌，老天爷还在下着雪，估计明天也不会放晴，它舍不得咬杀小狼崽充饥，当然也不能在石洞里等着活活饿死，唯一的办法，就是冒险到邻近的村寨去偷鸡。

钻出荒山沟，翻过日曲卡山麓，蹚过古戛纳河，就有一个人类居住的名叫豆腐营的村寨，盖着几十幢茅草房。母豺火烧云曾多次远远打量过豆腐营，里头有牛有马有羊有猪有鸡有鸭有鹅，都是食肉兽垂涎三尺的猎物。这些家畜都有一个共同特点——动作笨拙，长着四条腿的跑不快，长着翅膀的也飞不高。要是允许豺来捕捉的话，肯定手到擒来轻松得就像玩游戏。可是，它从来没有跑进豆腐营捕猎这些家畜。它晓得，这些家畜虽然肥肥胖胖笨头笨脑，但两足行走的人类却是不好惹的，人类会使用让包括老虎在内的所有猛兽都心惊胆战的弩箭和猎枪。特别让食肉兽们害怕的是，豆腐营家家户户养着狗，这些狗日夜守护着牛栏马厩羊圈猪窝鸡笼鹅棚鸭舍。狗的视觉、听觉和嗅觉十分灵敏，一发现可疑动静，便会吠叫报警，人们就会握着弩箭提着猎枪从茅草房里奔出来，对猎食者追撵围剿。

它曾亲眼目睹一只老山豹是怎么死在猎人和猎狗手里的。那也是这么个风雪之夜，它外出觅食路过豆腐营，看见一只山豹正鬼鬼祟祟顺着排水沟往寨子里去。这是一只牙口起码超过十岁的老山豹，皮毛邋遢，灰头灰脸。看得出来，因年老体衰在野外找不到食物，想摸到人类居住的村寨来碰碰运气。它出于好奇，也想在老山豹得手后伺机分点儿残渣剩羹，就远远尾随在老山豹后面。老山豹从排水沟摸进寨子后，找到一个猪窝，里头关着好几只肥猪。老山豹用爪子抠用牙齿咬，想在猪窝的篱笆墙上挖出一个洞来。咔嚓咔嚓，虽然老山豹小心翼翼，但撕扯篱笆墙还是免不了会发出些声响来。正在酣睡的肥猪醒了，瞪起惺忪的睡眼，哼哼呵呵地号叫起来。立刻，附近一幢茅草房的屋檐下蹿出两条狗来，奔到猪窝旁，找到藏在排水沟里的老山豹，狂吠乱叫起来。全寨子的狗一起发疯般的吠叫，并迅速从四面八方围了上来。

老山豹想跑，已经迟了，逃到东面，七八条狗挡住了去路，逃到西面，又有一群狗迎面堵截。老山豹虽然身体比狗大得多，豹爪和豹牙也比狗爪和狗牙厉害得多，但寡不敌众，被二三十条狗追得无处可逃，钻进村边一座砖窑里。狗群封锁了窑洞口，叫得更欢更响。很快，一幢幢茅草房亮起灯光，人们擎着火把端着猎枪来到村边的砖窑。五六支猎枪伸进窑洞口，一位蓄着山羊胡子的汉子一声令下，几支猎枪同时射击，轰的一声巨响，震得大地微微颤抖。砖窑里闷着一团浓烟，老山豹惨嚎着，满脸是血，脑壳被掀掉了一块，身体被硝烟熏得漆黑，色彩斑斓的山豹变成一只黑豹，踉踉跄跄从砖窑蹿出来，才跑出十来米远，就一头栽倒在地爬不起来了。狗们蜂拥而上，把老山豹盖得严严实实。

它躲在暗处，把一切都看得清清楚楚，吓得魂飞魄散，趁狗和人的注意力都集中在老山豹身上，它赶紧钻进隐蔽的排水沟，逃出豆腐营。那一次遭遇，给它留下了极深的印象，一辈子也无法忘怀。它得出一个经验教训：到人类居住的村寨去觅食，就像到阴曹地府去旅游，是九死一生的买卖。

不是万不得已，它不会拿自己的生命来冒险。

下半夜，母豺火烧云来到豆腐营。几十幢茅草房黑灯瞎火，看不见一点儿光亮。人们正在温暖的被窝里做着好梦。它曾经尾随那只倒霉的老山豹来过这个村寨，熟悉这一带的地形。它绕到寨子后面，钻进弯弯曲曲的排水沟，进到寨子里头。它从排水沟慢慢探出脑袋，紧张地四下张望。哦，铺满积雪的街道，空荡荡的，见不到狗的身影。可它晓得，那些讨厌的狗就藏在黑黢黢的屋檐下，瞪着警惕的眼睛注视着四周的动静，只要它从排水沟一钻出来，立刻就会朝它吠叫扑咬。

和训练有素的猎狗打交道，必须要有足够的耐心。

母豺火烧云藏在排水沟里，打量寨子里那些形形色色的家畜。马厩它是不敢去的，马是烈性子动物，遭遇中小型食肉兽，会扬起鬃毛高声嘶鸣，还会举起前蹄猛烈踩踏，或者屁股对着来犯之敌尥蹶子。马蹄坚硬如石锤，不幸被踢中一蹄子的话，轻则骨头断裂，重则呜呼哀哉，所以豺对马一般采取敬而远之的态度；靠打谷场有个牛栏，里头养着大小七八头水牛，其中有一头半岁龄的牛犊。假如能让火烧云在形形色色的家畜中任意挑选的话，它当然愿意要那头水牛犊。那牛犊少说也有两百斤，咬杀后掩埋在雪堆里，节省点儿吃的话，够维持十天半月的。这期间自己再努力狩猎，只要不下雪，多多少少总会有所收获，补贴着吃，就能熬过剩下的半个冬季。可它只是如此想想而已，朝牛栏瞟了一眼，立刻就把眼光移开了——别说是在人类和猎狗眼皮底下的水牛了，就是在荒野遇到水牛群，它也只能流口水干瞪眼。它孤身一只豺，无论如何也对付不了一群体格庞大的水牛。退一万步说，就算它有本事咬翻这头牛犊，也没法将两百斤重的猎物拖回大肚佛窟去；靠菜园子有一个猪窝，里头有三四头大肥猪，可惜没有小猪崽子。对豺这样的中型食肉兽来说，猪越肥越难对付。猪脖子上厚厚一层肥肉，豺嘴不是虎嘴、狮嘴和豹嘴，老虎、狮子和大山豹等大型猫科动物具备强有力的下颚，狠命噬咬时能穿透猪脖子上的肥肉将猪的颈椎拧断，豺的下颚力量很有限，在肥猪的脖子上咬十口也未必能咬到致命的喉管或颈椎。再说，曾经发生过老山豹偷袭猪窝的事，豆腐营寨子家家户户都加固了猪窝，篱笆墙外面又裹了一道铁蒺藜，这猪窝称得上是固若金汤，很难钻空子的，它不得不把眼光从猪窝移开；靠水磨房有一个羊圈，里头关着四五十只羊。在所有的家畜里头，它最喜欢羊了。羊生性温柔，习惯逆来顺受，遇到食肉兽袭击，不会反抗，只晓得闷着头逃命。它尤其看中细皮嫩肉的羊羔，人类的“鲜”字就是“鱼”和“羊”的组合，羊羔肉有股特殊的芳香，入口即化，鲜美无比。再说，一头羊羔重约二三十斤，它努力的话可以将羊羔叼回大肚佛窟。可它摇了摇脑袋，把袭击羊圈的念头从脑子里甩出去，将分泌出来的口水咽进肚去。它晓得，凡有羊群的地方，就有牧羊犬。牧羊犬比看家狗和普通猎狗厉害，称得上是狗中精英，把保护主人的羊看得比自己的性命还要重。它们不仅身体高大强壮，气魄也大得出奇，敢只身与狼搏杀，它恐怕不是牧羊犬的对手。再说，羊圈是用结实的木栅栏围成的，高有两米，它不是啮齿类动物，不可能在木栅栏上咬开个洞。它也不是穿山甲，不可能挖条通往羊圈去的地道。就算它能找个有利的地形蹿高到两米翻进羊圈去，也不可能叼着羊羔再从木栅栏上翻出来。退一万步说，就算发生奇迹，它成功地叼着羊羔逃出羊圈，也无法逃过狗群的追逐。它这么一只在体型上与狗相差无几的豺，叼着二三十斤重的羊羔，不可能像平常那样奔跑如飞，只能慢吞吞拖着走，狗群很快就能追上它，把它好不容易捕获的羊羔再夺回去；后寨小河边有一个鹅棚，家鹅与天鹅其实是血缘很近的亲戚，同样是食肉兽梦寐以求的美味佳肴。不仅癞蛤蟆想吃天鹅肉，豺也很想吃天鹅肉，但它的眼光快速从鹅棚滑过去了。鹅可不是省油的灯，虽然鹅也是家禽，但在所有的家禽中，鹅是最难对付的。鹅胆子极大，不管是陌生人、黄鼠狼还是狐狸，只要一走近鹅，鹅就会吭吭高声叫唤，半展翅膀抻直脖子张开大嘴摆出攻击姿态，不仅勇敢地抵抗强暴，还英勇无畏地主动向强敌进攻。特别让食肉兽发怵的是，鹅群十分团结，一只鹅遭到袭击，其他鹅会奋不顾身跑来救援，对来犯者群起而攻之。曾多次发生这样的事，黄鼠狼闯进鹅棚，咬住一只鹅的翅膀，那只受伤的鹅大叫救命，其他鹅团团将黄鼠狼包围起来，你啄黄鼠狼的尾巴，我啄黄鼠狼的眼睛，你一口我一口凶猛地啄咬个不停，一面啄咬还一面发出吭吭鸣叫，就像在开声讨会。黄鼠狼抵挡不住四面八方的攻击，又害怕鹅高亢嘹亮的叫声会引来两足行走的人，只得放掉已经到手的猎物，狼狈不堪地逃离现场；池塘边有两个鸭舍，能吃到鸭肉当然也是不错的。家鸭身体肥胖，不会飞行，也不会反抗，走起路来摇摇摆摆，很容易捕捉。遗憾的是，鸭舍一半盖在水里一半盖在岸上，有前后两道门，前门通往岸边那幢茅草房，后门通往蓄着一泓碧水的池塘。它若从前门冲进鸭舍，鸭子便会从后门跳进池塘。豺虽然会游泳，但水性不佳，是无法在池塘里像水獭那样捕捉猎物的。再说，鸭子受惊后一只接一只跳进池塘，溅起无数水花，不但会惊动看家狗，还会惊醒睡梦中的人类，它就会由掠食者变成被掠食者了。

虽然豆腐营村寨有各种各样的家畜，但真正适合它捕捉的却只有鸡。

家鸡不像野鸡那样会飞上天空，家鸡在黑暗中视力很差，嗅觉和听觉也较迟钝。鸡还有个对保全生命相当不利的坏习惯——睡觉时将脑袋插在翅膀里，往往走到离鸡两米远的地方，鸡还懵然无知，一咬一个准，比人类吃豆腐还容易。一只鸡五六斤重，它叼着鸡也能快速奔跑，即使捉鸡时被狗发现，也还有希望叼着猎物摆脱追踪。当然，不利因素也是有的，鸡窝一般盖在农家院子里，院子都有土墼墙或篱笆墙，进出有危险。更麻烦的是，不知是何原因，家家户户鸡窝都搭在狗窝旁边，要想在狗的眼皮底下行窃，难度是相当大的。

到人类居住的村寨来觅食，不可能没有风险。

母豺火烧云权衡利弊，还是决定捉鸡。它是只有经验的豺，善于动脑筋，很快就想出一个捕捉方案来。它把行动时间定在黎明时分，它了解狗的秉性——对主人无限忠诚，恪尽职守，越是气候恶劣的风雪之夜警惕性越高。现在虽然是漆黑一团的半夜，但许多狗眼睛雪亮，此时采取行动，肯定凶多吉少。到黎明时，天蒙蒙亮，看家护院的狗辛苦了一夜，看看天快亮了，危险的长夜已经过去，警惕性便会松懈。狗们理所当然地认为，夜里都没出什么事，天要亮了当然更不会出什么事，极有可能会伸个狗式懒腰，昏昏沉沉睡去。而那个时候，两足行走的人还躺在床上没有起来，有的迷迷糊糊欲醒未醒，有的打了个哈欠又蒙头睡个回笼觉。可以这么说，天色微明，正是人和狗最倦怠的时候，也是它最容易得手的时候。它曾经多次在黎明时分经过寨子前面那道山梁，每次都看到一只花翎大公鸡跳到打谷场的草垛啼叫报晓。这是一个袭击的好机会，不需要冒险摸进农家院子去掏鸡窝，打谷场坐落在寨子中央，离排水沟入口处不远，得手后撤退起来也方便。

母豺火烧云蹲在排水沟里，耐心地等待着。也不知等了多长时间，天边透出一线鱼肚白，好像一只巨大的罩子被砸开一条裂缝，黑夜就要结束，黎明就要到来。它必须在花翎大公鸡出现前，去到打谷场的草垛旁，这样才能进行有效伏击。从它藏身的排水沟到打谷场有五六十米远，中间要穿过两条街道。它脑袋贴在地上，凝神谛听，没有人和狗走路的声音。它突然蹿出排水沟，用最快的速度奔跑，越过第一条街道，躲到一辆手扶拖拉机后面，张大眼睛四处张望。谢天谢地，没有惊动正在睡觉的狗。它喘了口气，又进行第二次奔跑，越过铺着白雪的平整的街道，直插打谷场的草垛。它已跑出三分之二路程，眼瞅着就要顺利到达目的地，就在这时，意想不到的事发生了，打谷场边那座粮仓的墙根下，突然闪出一条狗来。天色微明，雪光映衬，它看得很清楚，是一条身材高大的公花狗，馒头状嘴吻，粗壮的四肢，耳朵出奇地大，就像两片桑树叶一样盖在额角。它认识这种形状的狗，就是赫赫有名的牧羊犬。它吃了一惊，不敢再继续往打谷场去，急忙拐了个弯，想找个隐蔽的地方躲起来。街道两侧是茅草房，黑黢黢的屋檐下倒是躲藏的好去处，但屋檐下肯定躺卧着看家狗，它若真的躲到屋檐下去，那是自投罗网。哦，前面道路旁有一座小山似的土堆，黑乎乎的土堆上盖着一层白雪，不知道是什么东西。它不管三七二十一，飞奔过去，一头扎进土堆，挤进土堆与院墙间狭小的空隙，总算把自己藏了起来。

不难猜测，这条该死的大耳朵花狗，本来应该是守护在羊圈旁的。牧羊犬嘛，职责就是不分昼夜保护主人的羊群。这家伙肯定行为不端，趁夜深人静主人和羊群都熟睡之际，偷偷溜到别的寨子找相好的母狗幽会。欢情良宵恨夜短，看看黎明将至，怕被主人发现自己的失职行为，告别难分难舍的母狗，匆匆赶回豆腐营寨子，所以才会在黎明时分突然出现在打谷场粮仓墙根下。

也许是看到了它晃动的身影，也许是听到它急转弯时踩响的脚步声，大耳朵花狗本来是要朝水磨房羊圈去的，此时却停顿下来，疑惑的眼睛朝土堆张望，转了个弯走了过来。

好险哪，要不是它及时钻进土堆，大耳朵花狗此时肯定已经发现它了。

母豺火烧云没钻进土堆前，不知道那是堆什么东西，钻进土堆与院墙狭小的夹缝后，一股恶臭直冲鼻孔。糟糕，它慌不择路，竟然钻到肥料堆里来了。这是村民堆积的农家肥，准备开春后施到稻田里去的，牛屎羊粪马尿，还有从猪窝里掏出来的黑泥烂草，搅拌在一起，简直就是各种排泄物的大杂烩，虽然因天气寒冷而结冰，仍散发出浓烈的气味。这是一种闻所未闻的臭味，比腐尸更恶心，比粪坑更肮脏，比臭鸡蛋更刺鼻，比狐臭更厉害。它被这股奇异的臭味熏得头昏脑涨，胃囊一阵阵痉挛，恨不得把自己的鼻子给拧下来，没了鼻子就闻不到臭味，也就不用受折磨了。

大耳朵花狗已走近粪堆，探头探脑窥视。它紧紧趴在粪肥上，一动也不敢动。它躺在黑暗的夹缝里，夹缝中又有一条凹槽，无论人与狗，不将脑袋伸进夹缝来是看不见它的。大耳朵花狗在粪堆前面踱来踱去，几次三番想贴近夹缝来看个究竟，可因为难以忍受那股怪异的恶臭，鼻吻稍稍触碰到粪堆，便恶心地打个响鼻，狗脸露出厌恶的表情，连连往后退却。

显然，这条可恶的牧羊犬只是模模糊糊看到一个晃动的身影，并没看清是什么东西，也无法确定是幻觉还是真的看见了什么，出于狗的责任心和好奇心，拐到粪堆来查看一番。

母豺火烧云缩紧四爪，身体纹丝不动，连大气都不敢喘。它晓得，此时此刻，只要发出丁点儿声响，如尾巴噼啪甩动、喷吐一口气息、豺爪划动冰碴儿等等，大耳朵花狗就会发出猛烈的吠叫，惊动整个寨子的狗群，后果不堪设想。夹道太窄了，它是硬挤才挤进去的，当时慌慌张张根本就顾不得考虑该脸对哪一面背靠哪一面，结果它的脸刚好是对着粪堆，而背是靠着院墙。嘴吻和腹部紧贴在粪堆上，又不敢转身换一个躺卧位置。那些混合型粪便经过长时间沤泡发酵，呈黑乎乎稀泥状，因为气温低才勉强冻结成固体的。它嘴腔呼出的热气和腹部释放的热量很快使冰冻的粪肥融化开来，黏糊糊，湿漉漉，恶臭也十倍膨胀，使它完全泡在了粪堆里。它很担忧，一直闻着如此浓烈的恶臭，鼻子会不会失灵，也许将来闻茉莉花栀子花都会闻出粪肥的气味来。

大耳朵花狗不敢把脑袋伸进夹缝来，当然也就看不出什么名堂；摇扇狗耳朵谛听，也没听到任何声响；耸动狗鼻子嗅闻，只闻到越来越浓烈的粪肥的恶臭，其他什么也闻不出来，逗留了一阵，终于放弃查找，离开粪堆，回水磨房旁的羊圈去了。

母豺火烧云从粪堆夹缝里爬出来，跌跌撞撞地跑到打谷场，在雪地里打滚，擦洗身上的污秽。雪水融化，冰碴儿渗进毛丛，冷得它直打哆嗦，它仍在雪地不停地打滚，要把那股无法忍受的恶臭洗刷干净。就在这时候，沙沙沙，打谷场那一头传来脚步声，它立刻停止打滚，迅速蹿到碾麦子用的碌碡下。哦，是那只花翎大公鸡来了，在朦胧的晨光中，迈着大步从农家院子的鸡笼里走出来。鸡头高耸，鸡冠红得发紫，孔雀蓝的尾翎高高翘起，眼神充满骄傲。它来到草垛前，摇动翅膀，鸡爪子攀抓住草垛，连飞带蹬登上草垛顶，清了清嗓子，拍拍翅膀，向着东方天际"喔喔喔喔"发出一串嘹亮的啼叫。公鸡司晨，向大地所有的生灵庄严宣告：天快亮了，太阳快出来了，新的一天就要开始了！说也奇怪，随着花翎大公鸡的啼叫，东方天际那条鱼肚白光带，渗出一片潮红，慢慢变幻色彩，玫瑰色、橘黄色、金黄色，向大地喷洒瑰丽的晨光。

当花翎大公鸡登上草垛，母豺火烧云也摸到草垛下。大公鸡反应迟钝，根本不知道危险正在逼近。草垛不高，最多有三米，形状如金字塔，有陡峭的斜坡。对豺来说，蹿上草垛，并不是一件困难的事情。

公鸡司晨，叫一遍不过瘾，起码要叫七八遍才会停下来。公鸡在啼叫时，神情专注，双眼半闭，所有的意念都集中在气管和声带上，处于防范最松懈的时刻，也是最容易捕捉的时候。母豺火烧云早就设想好，当花翎大公鸡叫第二遍时，它绕到花翎大公鸡背后，以迅雷不及掩耳之势蹿上草垛，在登上草垛顶的一瞬间，扑到花翎大公鸡身上，闪电般咬住鸡脖子，用力咬紧牙齿，使猎物无法发出求救的鸣叫。自己的身体压在猎物身体上，使鸡爪鸡翅无法拼命挣动，尽量减少猎食时的响动。它相信，使用这套捕杀方式，最多半分钟，花翎大公鸡就会停止挣扎，变成一只失去知觉的死鸡。猎杀发生在三米高的草垛上，即使有狗听到了异常响动，由下往上看也不可能看清是怎么回事。等一切平静下来，它就叼着花翎大公鸡从草垛上蹿下来，钻进排水沟，绕出豆腐营村寨，趁着灰蒙蒙的天色赶回大肚佛窟去。

设想非常周密，行动也非常果断，当花翎大公鸡扬起头开始啼叫第二遍时，母豺火烧云已嗖的一声奋力蹿上草垛顶。正像它所预料的那样，花翎大公鸡颈羽蓬松引吭高歌专心致志呼唤日出，根本就没注意到身后的异常响动。它登上草垛顶的一瞬间，按照事先设想的那样，从背后扑跃到花翎大公鸡身上。它确实成功地做到了这一点，但就在完成整个捕猎的最后一个环节——噬咬鸡脖子的时候，出现了小小的纰漏：它的右前爪未能踩稳花翎大公鸡的右翅膀，它的豺嘴朝鸡脖子咬去时，花翎大公鸡右翅膀猛地拍扇，挡住了鸡脖子，它的利齿没能准确咬中鸡脖子，咬偏了一点点，咬在翅膀与脖子之间的肩胛部位。虽然预选目标和实际咬到的地方相差仅一寸，却是非常关键的一寸。鸡脖子是致命部位，一旦咬中，活蹦乱跳的花翎大公鸡就会变成哑巴鸡，最多挣扎三五下就会瘫痪倒地；而肩胛是鸡的非致命部位，即使再多咬一口，也只是撕裂了一只鸡翅膀而已。

当母豺火烧云意识到自己的扑咬出了纰漏想要纠正时，已经迟了，花翎大公鸡“咯咯——喔喔——”发出尖厉的惊叫声，拼命拍打翅膀，在寂静的黎明，这响动特别刺耳。

——咯咯，恶豺咬住我，赶快来救我！

——喔喔，豺狼偷袭我，就在草垛上！

可恶的花翎大公鸡不但惊叫报警，还扭头用嘴啄它的脸。它赶紧松开鸡翅膀，又猛咬一口，这次咬准了，咬在鸡脖子中央，咔嚓咔嚓，传来颈椎断裂声，花翎大公鸡两眼翻白，挣动了几下，瘫软下来。但豆腐营寨子已经被猎杀的喧闹声惊动了。

估计这只花翎大公鸡在豆腐营寨子的鸡群里地位显赫，随着救命的惊叫声，附近鸡笼都传出惊慌不安的啼叫，咯咯咯咯，喔喔喔喔，好像集体在为花翎大公鸡吊丧。几乎同时，狗也开始吠叫起来，汪汪汪，嗷嗷嗷，此起彼伏，吵吵嚷嚷。在众多的狗吠声中，有一个声音特别嘹亮特别激动。母豺火烧云抬头望去，哦，就是那条大耳朵花狗，狂吠着，从羊圈旁蹿出来，直奔打谷场。另有十多条狗跟随在大耳朵花狗后面，向打谷场冲过来。更可怕的是，好几幢茅草房亮起灯火，传来人的吆喝声。它不敢再耽误，叼起花翎大公鸡，蹿下草垛，用最快的速度奔向排水沟，企图顺着曲折隐蔽的排水沟逃出寨子。

不知是一种巧合，还是被识破了计谋，它笔直往排水沟奔跑，那条大耳朵花狗也从另一个方向直扑排水沟。不幸的是，偏偏大耳朵花狗早它一步来到排水沟入口处，“汪汪，汪汪！”大耳朵花狗龇牙咧嘴咆哮着，堵住了它的去路。其他狗正往这儿赶来，形势万分危急。它放下花翎大公鸡，恶狠狠低吼，扑向大耳朵花狗。它并非真的要和这条牧羊犬决一死战，它希望自己凶狠的吼叫声和气势汹汹的模样，能吓唬住大耳朵花狗，迫使这家伙躲闪开，这样它就可以钻进熟悉的排水沟逃之夭夭了。排水沟阴暗潮湿，只容得下一只豺或一条狗在里头钻行，它一旦钻进去，狗是不敢冒险跟着它一起钻进不熟悉的排水沟的。狗群会聚集在排水沟的入口处，狺狺吠叫，想尾随追撵又顾虑重重，在那儿犹豫徘徊的时候，它早就趁机逃出豆腐营村寨了。可恼的是，大耳朵花狗胆子很大，面对它的扑咬并不躲闪，而是与它扭打起来。一般来说，没有主人撑腰，一条狗是没有胆量与一只豺厮杀的。狗和豺虽然身体大小差不多，但豺天天在山野捕杀猎物，性格比狗勇猛，意志比狗顽强，格斗技巧也比狗精湛，一条狗和一只豺扭打，即使是狗中精英牧羊犬，也处在劣势。它明白，大耳朵花狗之所以在它的扑咬下敢于挺身应战，是因为另有十多条各种毛色各种形状的狗正往这儿奔来，大耳朵花狗只消坚持半分钟，狗群就会赶到，把它给团团围住。留给它的时间不多了，它只能速战速决，抢在狗群到来之前咬伤或咬败大耳朵花狗，钻进排水沟去。不然的话，它将陷入狗群的包围圈，两足行走的人也会很快从茅草房出来，人群和狗群一起对它进行围剿。它狂啸一声，发狠地将大耳朵花狗压在自己身体底下，张嘴在狗背上咬了一口，咬下一嘴狗毛，狗皮也咬破了，豺舌尝到咸津津的狗血。然后，它松开四爪，往旁边挪了挪，那是故意给大耳朵花狗留个逃跑的机会，或者说网开一面。正常情况下，狗挨了咬会惨叫一声，条件反射地跳起来，斜刺逃窜出去。这样，它就可以扭头叼起花翎大公鸡，吱溜钻进排水沟去。它咬下一嘴狗毛后，大耳朵花狗确实发出一声惨叫，疼得眼珠都发直了，但是，这家伙并没有挣扎跳蹿斜刺奔逃，仍死死堵在排水沟入口处，还利用它豺爪松动的机会，狗嘴伸进它腹部反咬了一口，幸亏它反应快，立即举起豺爪去挖那双狗眼，大耳朵花狗害怕变成瞎眼狗，不得不松开狗嘴。就这样，它腹部的一只乳房已被咬出两排带血齿痕，疼得钻心，乳头也被咬破，滴着血，这只乳房怕是报废了，以后再也不能给幼豺喂奶了。

什么部位不能咬，偏要咬它的乳房，真是条流氓牧羊犬！母豺火烧云恨不得扑到大耳朵花狗身上，狂撕滥咬，咬烂这只下流的狗头，以泄心头之恨。可它只是这么想想而已，并未真的再次朝大耳朵花狗扑蹿上去。它是只饱经风霜有理智的豺，它明白自己的处境，再继续与大耳朵花狗纠缠下去，今天怕是不能活着走出豆腐营寨子了。狗群已经围逼上来，有一条大黑狗离它只有十几步远了，贼头贼脑想要抢地上那只花翎大公鸡。要真是被大黑狗抢走了花翎大公鸡，它不但白辛苦一夜，还有可能因饥饿而倒毙荒野。报仇事小，生存事大。它佯装着要朝大耳朵花狗扑咬，却是虚晃一枪，趁大耳朵花狗缩紧身体准备应战之际，急速转身，一口叼起花翎大公鸡，顺着街道拼命往寨子外面跑。

排水沟的入口已被封锁，现在唯一的逃生方法，就是抢在狗群包围圈形成之前，冲出寨子去。这样做风险很大，可它已经没有其他路可走了。

有两条白狗从前面的篱笆墙蹿出来，跑到街道上，企图拦截它。它一眼望去，其中一条白狗肚子圆鼓鼓的，哦，是条肚子里怀了狗崽子的母狗。它径直朝大肚子的白母狗冲过去，嘴里发出可怕的呜呜声，一副横冲直撞势不可当的样子。怀孕的母狗胆子比平时小得多，冒险精神也比平时弱得多，大肚子白母狗唯恐肚子里的狗崽子被撞出问题来，没等它冲到面前，就夹着尾巴撒腿逃回篱笆墙去了。另一条白狗势单力薄，也不敢正面拦截了，退缩到路旁汪汪吠叫。它在狗的包围圈上冲开一个缺口，飞快奔逃。刚逃到村口，路边一幢茅草房里跑出一个穿羊皮袄的男人，手执猎枪风风火火追了上来。它脚下生风跨出村寨外，就在这时，身后轰的一声巨响，一股淡紫色烟尘从它头顶穿过，霰弹蝗虫般地吱吱乱飞，打得碎土迸溅。它晓得猎枪的厉害，比任何野兽的牙齿都要尖利一千倍，刹那间就可以把野牛的脑壳崩碎。它赶紧改变路线朝路边的灌木丛奔去。“轰！”背后的猎枪再次炸响，淡紫色的烟尘笼罩住它的身体，它觉得脖子一阵发麻，像被火焰烫了一下。谢天谢地，天色还没亮透，能见度还很低，那个男人刚从梦中惊醒，睡眼惺忪没能瞄得很准，它只是脖子被火药灼伤，脑袋没有被霰弹轰碎，四肢也完好无损。村寨口那丛灌木长得很密，枝条间还有尖刺，它已顾不得这么多了，一头扎了进去，强行往里钻行，皮肤被荆棘划破，撕裂般的疼。但总算钻过那丛灌木，手执猎枪的男人再也看不见它了。虽然逃出豆腐营寨子，虽然逃过了猎人和猎枪，但危险仍然存在，二十多条狗跑出寨了，在后面紧追不舍。

母豺火烧云在白雪皑皑的山野狂奔。正常情况下，豺的奔跑速度不亚于狗，耐力也不比狗差，整天在山野摸爬滚打，地形也比狗熟悉得多，是能够摆脱狗的追撵的。但它叼着花翎大公鸡，虽不算很重，但也有六七斤，开始还不觉得累，跑了一段路后，到底是负重奔跑，觉得猎物越来越沉重，嘴吻酸麻，气喘吁吁，速度渐渐放慢。最恼火的是，这一带山坡都铺着积雪，跑到哪儿都会留下两行清晰的足迹，无法利用熟悉地形的优势捉迷藏甩开狗群。狗的吠叫声越来越近，它扭头望去，领头的就是那条大耳朵花狗，好像服了兴奋剂一样，越跑越快，离它只有二三十米远了。也许，扔掉口中的花翎大公鸡，它能跑得快些，逃脱狗群的追捕，可它舍不得这么做。食物来之不易，扔掉食物，也等于要扔掉自己的性命。它一面叼着猎物在雪地艰难奔逃，一面思量着能摆脱狗群的办法。前面是一座悬崖，陡峭的绝壁上铺着厚厚一层白雪，约有几十丈深，谷底是一片苍绿的冷杉树林。

它曾经来过这个地方，那是去年冬天，也是在清晨，它追逐一只红崖羊，从大肚佛窟一直追到这座悬崖上。红崖羊精疲力竭，眼瞅着就要吃到肥羊肉了，那只红崖羊突然纵身一跃，从悬崖上跳了下去。它跑到悬崖边往下看，红崖羊就像一只红色皮球，从陡峭的雪坡上滚落下去。它以为红崖羊肯定会摔死，但出乎它的意料，那只红崖羊滚到谷底后，躺了几分钟，竟然站了起来，一瘸一拐逃进冷杉树林。当时它是掠食者，站在悬崖边犹豫了一阵，没敢跟着红崖羊往下跳，雪坡太陡，山谷太深，犯不着为了一顿羊肉去冒被摔死的风险。现在情况不一样了，它走投无路，要想既保住好不容易捕捉到的花翎大公鸡，又摆脱疯狂的狗群保住自己的性命，看来只有学红崖羊从悬崖上跳下去。既然红崖羊能从几十丈高的雪坡滚落下去死里求生，它想，它的筋骨和神经理应比红崖羊的筋骨和神经更坚韧些，应该更经得起苦难的磨砺和生活的摔打考验，也完全有可能活着滚到谷底的。

想到这里，母豺火烧云紧跑几步来到了悬崖边。

它将头伸出悬崖，忍不住倒吸一口冷气。雪坡实在太陡了，谷底和山顶，只有很小一点儿坡度，半山腰好几个地方，裸露着灰褐色的岩石，像狰狞的怪兽。由于坡度陡，积雪不是铺在山壁上，而像是挂在山壁上，连降了好多天雪，山壁上的雪层变得很厚，看上去随时有坍塌的可能。假如它滚落时稍稍偏离方向，极有可能撞在半山腰裸露的岩石上，撞得粉身碎骨。就算它运气不错，没有偏离方向，而是顺着光滑的雪道一直滚到谷底，也有可能震动挂在山壁上的雪层，积雪坍塌，引发强烈的雪崩，把它活埋在数丈深的雪堆下。就算它运气特别好，既没撞在半山腰裸露的岩石上，也没震动挂在山壁上的雪层引发雪崩，从这么高的悬崖几乎垂直地滚落下去，在积雪间猛烈震荡，很有可能会摔晕过去，躺在谷底雪地上长眠不醒，变成一具硬邦邦的冰冻尸体。

摔死的可能性很大很大，生还的可能性很小很小。

那头红崖羊从这儿跳下深渊，滚到谷底后还能站起来一瘸一拐逃进冷杉树林，纯属幸运。它有把握重复这种幸运吗？

它在悬崖边徘徊，心房扑扑乱跳，害怕得身体一阵阵发紧。

狗群围了上来，大耳朵花狗几次三番蹿到它面前，龇牙咧嘴咆哮，跃跃欲扑。更让它提心吊胆的是，豆腐营寨子方向，隐隐约约传来人的呐喊与吆喝声。它已跑得筋疲力尽，不可能从二十多条狗的包围圈中杀开一条逃生的血路。大耳朵花狗仗着狗多势众，很快就会率领狗们扑上来同它厮斗，它除非有三头六臂，否则无法抵挡狗群的攻击。人的呐喊与吆喝声由远而近，留给它的时间已经不多了。被狗群咬死是死，被猎枪打死是死，滞留在悬崖上，绝对是死无葬身之地，倒不如滚下深渊去，说不定还能侥幸捡回一条小命呢。想到这里，它佯装着要突围的样子，朝前冲了两步，待狗群往后退缩时，突然转身奔到悬崖边，闭着眼睛往前蹿跳。身体轻飘飘像要飞起来，脑袋一阵阵晕眩，耳边呼呼呼灌满风声。它只有一个意念：咬紧嘴巴，别让叼在嘴里的花翎大公鸡滑脱。咚，它的豺爪踩着雪了，四条腿深深插进积雪，身体猛烈撞击地面，感觉五脏六腑都要被震碎了，身体不由自主地向下滚去。干脆，将花翎大公鸡搂在怀里，脑袋缩紧，尾巴勾卷，身体抱成球状，顺着陡坡咕噜咕噜滚下去。它听到积雪的崩裂声，雪团雪块雪球铺天盖地砸在它身上。它想睁开眼睛看看，可身体四周一片雪尘，什么都看不见。翻滚的速度越来越快，它眼前金星乱冒，差不多要晕死过去了。

也不知过了多长时间，母豺火烧云感觉到自己的身体咚的一声又重重砸在雪窝里，震得它骨头都要散架了。哦，翻滚的速度骤然减缓，顺着惯性又往前滚了几滚，便停了下来。它晓得，自己已经滚到谷底。花翎大公鸡还在，它没把猎物弄丢。它睁开眼，上下左右都是雪，头顶的雪层泛着耀眼的白光。它明白，自己是被埋在雪堆里了。奇怪的是，并不觉得冷，也不觉得难受，恰恰相反，挺暖和挺舒服。四周特别安静，呼吸稍稍有点儿不畅，眼皮又黏又涩，身体慵懒困倦，极想闭起眼睛好好睡上一觉。可是，心里有另一个声音在不断提醒它：不能睡，千万不能睡，你现在如果睡着了，这辈子休想再爬起来了，雪堆就会成为你的坟墓！它蓦地惊醒了，四只爪子拼命刨雪，脑袋也竭力往上顶撞，忙碌了好一阵，总算在头顶的雪层挖出个窟窿，呼吸变得顺畅，嗜睡的感觉也消失了。它的脑袋从雪堆里钻出来，四下打量，它确实已经在谷底，离那片冷杉树林仅有二三十米远。它爬出雪堆，又把那只花翎大公鸡也从积雪下拔了出来，试着走了几步，筋骨有点儿酸疼，左前爪似乎崴了一下，走起来有点儿瘸，但好像没伤着骨头，还是可以在雪地里歪歪扭扭小跑的。

它很幸运，没撞在半山腰裸露的岩石上，也没引发大规模雪崩，成功地死里逃生了。

“汪汪，汪汪汪，汪汪汪汪！”山顶传来狗群愤怒的吠叫声。它抬头望去，狗们排成整齐的一字形横队，站在悬崖边缘，朝它咆哮。对这些狗来说，正在追缉的偷鸡贼逃之夭夭，当然会十分恼怒。那条大耳朵花狗在悬崖边直立、扑颠、蹿跃，似乎想要跳下深渊来。它一点儿都不紧张。它知道，狗是没有这么大的魄力从这么高的悬崖上跳下来的。再说，为了追捕一个偷鸡贼，犯得着冒着摔得粉身碎骨的危险吗？这一次它判断得很准确，大耳朵花狗闹腾了一阵，始终没敢真的跳下来。

它叼起花翎大公鸡，在狗群的喧闹声中，瘸瘸拐拐逃进冷杉树林。走到狗群望不见的地方，它迫不及待地用嘴拔去鸡毛，撕食花翎大公鸡。它一口气吃下半只鸡，它饿坏了，急需食物补充，不然的话休想有力气走回大肚佛窟去。

回到大肚子佛窟，天已经大亮。甜点心刚刚睡醒，打着哈欠向它讨奶吃。哦，吃吧吃吧，新鲜的鸡肉催生奶汁，好几只乳房胀鼓鼓的，够你饱饱吃一顿的啦。

在给甜点心喂奶时，它查看自己的伤势。脖子被火药灼伤，就像犁刀在草地上犁出一条泥沟。好险哪，要是枪口再偏左半寸，它的脖子就被打断了。腹部乳房也被大耳朵花狗啃破，流了不少血。在钻灌木丛时，背脊和胸部两侧被荆棘划出好几道血痕，还被拔掉不少豺毛。在坠岩时一只脚爪崴伤，虽然不严重，可也要养三五天才能康复。一点儿也不夸张，它已经遍体鳞伤。它干吗要受这么大的罪呀？就是为了不吃掉小狼崽甜点心吗？突然间，它觉得自己傻透了，简直就是天字第一号大傻瓜豺，放着现存的食物不吃，却要冒九死一生的危险到人类居住的村寨去觅食。舍近求远，舍易求难，舍生求死，天下还有比它更傻的豺吗？它这么做，究竟是为什么呀？甜点心是只小狼崽，是它杀子仇敌的后代，它犯得着为其牺牲自己的性命吗？它无法理解自己的行为，也许它是疯了。

半个月后，响起惊蛰雷声，淅淅沥沥下了几场春雨，小草吐芽，树枝抽绿，阳光变得越来越温暖，雪线从山脚悄悄退到山腰去了。漫长的冬天终于熬过去了，春天来临了。受体内生物钟的影响，小狼崽甜点心断奶了，母豺火烧云乳房也不再胀痛。照理说，母豺火烧云不再需要甜点心，可以像处置普通食物那样处置甜点心了，可小家伙整天黏在它身边，它不忍抛弃，更不忍咬杀，只有像喂自己生出来的幼豺一样，将肉块咬碎吞咽后，反刍出半消化的肉糜哺养甜点心。

时间拖得越长，似乎把甜点心当食物宰吃的念头就越淡薄。

第六章 “伟岸”公豺

春天是食物丰盈的季节，雪兔在草原奔跑，野猪在湖边漫步，青羊在山崖戏闹，只要跨出大肚佛窟，一眼就能望见感兴趣的猎物，毋需费多大的劲很容易就能混饱肚皮。母豺火烧云在树根下找到一个田鼠窝，公田鼠和母田鼠仓皇逃走，它从腐土下刨出八只刚生下不久的小田鼠，粉红色半透明的皮肤，眼睛还没有睁开，绒毛也没长出来，咬在嘴里吱吱叫，它一口一只吞进肚去，鲜嫩无比，吃得嘴角流油。

吃完那窝小田鼠，母豺火烧云懒洋洋地在山谷树丛间散步。天气晴朗，春阳暖融融普照大地，气温不冷也不热，刚吃完一顿美味佳肴，照理说，应当是心情最舒畅最惬意的时候，可不知怎么搞的，它总觉得生活中还欠缺什么，开心不起来。

食物压力消失了，另一种惆怅悄悄滋生。

它来到一块磐石前，想靠在粗糙的石头上蹭蹭痒，突然，闻到一股既熟悉又陌生的气味。说这气味熟悉，是因为这气味同它自己身上的气味属于同一类型，换句话说，它闻到的是同类身上的气味；说这气味陌生，是因为同类间不同个体的气味是不一样的，一千只豺有一千种气味，也就是说，它闻到的是一只从未见过的陌生豺的气味。这气味犹如特效兴奋剂，闻一闻神清气爽，闻二闻心旷神怡，闻三闻激情澎湃。它已从磐石上粘留的豺毛和草地上遗留的豺尿中闻出这是一只年轻健康充满活力的大公豺。

哺乳类动物是靠鼻子思想的，气味在哺乳类动物的感情生活中扮演着重要角色。豺的嗅觉细腻而又敏感，比人类强多了。人类虽然也长着一只鼻子，但鼻子在五官中的作用排在末等。人们议论鼻子，通常都说某某鼻梁挺拔鼻翼丰润形如玉葱真是漂亮，或者说某某塌鼻梁蒜头鼻真是难看，多从美观角度注意鼻子的造型并衡量其价值，极少从嗅觉是否灵敏来评判别人的鼻子。在鼻子问题上，人类一贯是美容重于实用。事实上，人类的鼻子基本是个摆设，是脸蛋上的一个点缀，嗅觉功能早就大大退化了。人类鼻子只能分辨香臭酸辣等表层的气味差异，无法进一步探索气味的奥秘，就像深度近视患者不戴眼镜时只能看见眼前模模糊糊的影像，人类只能在奥秘无穷的气味世界里闻出个大概来。

豺就不一样了。在豺的生活中，视觉世界、听觉世界、嗅觉世界组合成三维世界，嗅觉与视觉、听觉具有同等重要的作用，甚至在某些方面，嗅觉的作用要超过视觉和听觉。对豺来说，嗅觉不仅仅是闻到香臭酸辣简单几种好闻或不好闻的气味，嗅觉是一个复杂而又完整的世界。在豺的鼻子里有一个气味图谱，特定的气味一吸进鼻孔，自然而然就能演化出特定的图案。例如在湿地里闻到了熊的气味，脑子里就会出现熊笨重凶悍的身影，再进一步探索，能闻出是公熊还是母熊，从此地经过有多长时间了，处在饥饿状态还是吃饱了肚皮，脾气暴烈还是性情温顺等等，都可以从气味中找到答案。可以这么说，对豺而言，气味也是一种活生生的形象。

母豺火烧云认真仔细地嗅闻陌生公豺留在磐石四周的气味，脑子里渐渐勾勒出陌生公豺的模样。哦，毛色金橙，就像早晨八九点钟的太阳，牙齿雪白，泛动着冰冷的寒光，眼睛明亮，燃烧着热情的火焰。摄入的营养肯定很丰富，从尿液和粪便中可以闻出陌生大公豺喝的是新鲜羊血吃的是新鲜羊肉。气味使它脑子里呈现出这么一幅狩猎图景：陌生大公豺像一股金红色的狂飙，在碧绿的草原上飞速驰骋，追上一群丧魂落魄的藏羚，秋风扫落叶一般扑倒一只头上还没长角的小藏羚。

多么富有诗意的气味，令火烧云心驰神往。

春天是有感情的季节，燕子呢喃，野猫叫春，公盘羊为了获得母盘羊的青睐，在山梁上乒乒乓乓用犄角格斗。世间万物都在为繁衍后代忙碌。受生命自然规律的支配，无法抑制的春情在母豺火烧云体内汹涌流动。豺是季节性发情的动物，春天和秋天是豺的交配季节，对异性的气味反应特别敏感。

假如两只宝贝幼豺没有被大灰母狼咬死，它现在还在抚养着一双刚断奶不久的儿女，此时此刻，它闻到陌生大公豺的气味，是不会心旌摇曳，也不会有什么特别感觉的。

一般来说，母豺的生育周期为两年。也就是说，一只母豺怀孕并产下幼豺后，要两年左右才会再度发情交配。这个生育周期符合豺的生长规律。豺的怀孕期约九十五天，哺乳期约一百天左右。断奶后，母豺还需要用反刍出来的半流质食物喂养幼豺一段时间，称为反刍喂养期，大概要持续一个月左右。以后幼豺就直接啃食母豺带回来的猎物。幼豺满半周岁后，开始跟着母豺外出觅食，熟悉生存环境，辨识各种猎物，观摩和学习狩猎经验，积累防范风险的能力，一句话，为将来独立生活做好充分准备。这大概要持续十个月到一年时间。这期间，母豺所有的心思都在幼豺身上，专心致志养育自己的宝贝，无心顾及其他。到幼豺差不多快满两周岁时，幼豺的身体长得与成年豺不相上下，能单独觅食了，母豺就会把幼豺从自己身边赶走，让它们独立面对充满危机又充满希望的世界，整个育幼过程就算完成，母豺也就会考虑养育下一茬幼豺。

这是指豺正常的生育周期。倘若在此期间发生了意外，幼豺生病死亡，或者被其他猛兽杀害，母豺会及时调整自己的行为，提前发情交配。这是大自然的一种补偿机制，以免蹉跎岁月，浪费了繁衍后代的大好时光。

母豺火烧云虽然距离上一次发情才半年多，但上一茬所生的两只幼豺已经死于非命，大自然的补偿机制在它身上起了作用，它又有了做母亲的冲动。

粘留在磐石上的豺毛还挺鲜亮，哦，陌生公豺离开的时间并不长；尿液刺鼻，闻起来还挺新鲜，哦，陌生公豺说不定就在附近。它试探着啸叫一声，遗憾的是，没听到回应。可它并不着急，陌生公豺既然在这里留下气味，相信不会走得太远，总有机会相见的。

母豺火烧云回到大肚佛窟，兴致勃勃地在周围显眼的地方留下自己的气味。哦，这是一棵树，它的身体在粗糙的树皮上蹭动，留下一绺绺残毛。哦，那是山谷口一块四方形岩石，算得上是进出大肚佛窟的门户，撒一泡尿在这儿，等于贴了一张征婚广告。哦，山谷外那片杂树林，豺最爱到里头游荡，在一些树根下舔一舔留下唾液，在一些草叶上淋淋尿水，用气味编织情网。豺不会写情书，也不会用语言挑逗勾引，只有靠气味来散布爱的信息。

当天夜晚，大肚佛窟对面小山包上，传来豺的啸叫声。呦呦呜呜，从月亮升起一直叫到月亮沉落，就像一个不知疲倦的求婚者在绣楼下大唱情歌。

看来，用气味编织的情网效果不错，很快就网住一个求爱者。

这天晚上，母豺火烧云是枕着情歌睡觉的。它没有马上出去同陌生公豺幽会。对母豺来说，择偶是一件很严肃的事，直接关系到将来所生幼豺的质量问题，必须对求爱者从外表到内心进行综合考查与测试，符合它心中的择偶标准，它才会接纳这份热情如火的爱。

所有雌性哺乳动物，对待婚配的态度都是非常慎重的。

翌日晨，母豺火烧云跨出大肚佛窟，打算按正常作息时间表，到山下的尕玛尔草原觅食。它才走出山沟，就发现一只公豺尾随在它身后。那公豺好像在跟它玩躲猫猫的游戏，藏在草丛或灌木里，不时发出一两声柔和的啸叫。在异性面前表现得有点儿羞怯，证明不是油滑的情场老手，这一点让它感到满意。走上一座小石山，光秃秃的山顶上没有草丛也没有灌木，那公豺无处躲藏，暴露在阳光下。哦，它的嗅觉没有骗它，“气味也是一种形象”这句话确实有道理，跟它昨日在磐石下所闻到的气味信息完全吻合，对方就是一只年轻俊美的公豺：身材比它高出半个肩胛，皮毛鲜亮得就像用野猪油擦过，在阳光下熠熠闪光。鼻吻光滑如玉，眼角没有皱纹，长着一条与众不同的黑尾巴，或许可以为其起名叫黑尾巴公豺。有意思的是，当它上上下下仔细打量对方时，对方垂下眼睑，好像被它看得有点儿难为情了，可当它收回视线时，对方又抬起头来看它，眼光火辣辣，看得它有一种快被融化了的感觉。它喜欢这种含蓄的情调。

它朝对方友好地叫了一声，往尕玛尔草原小跑而去。黑尾巴公豺不远不近地跟在它身后，态度很温顺。这一点也使它感觉颇佳。它顶顶讨厌那些举止粗鲁的大公豺，求偶心切，野蛮凶暴，一见到有几分姿色的雌豺，就像苍蝇见了血一样叮着不放。一见面就毛手毛脚，直奔交配主题，不顾雌性强烈反对，仗着自己身体比雌性强壮、力气比雌性大，揪住雌豺又撕又咬，武力征服强行霸占。看来，黑尾巴公豺不属于那一类浑蛋雄性。它喜欢有礼貌的公豺，这能使它产生安全感。它对黑尾巴公豺的好感又增添了几分。

当然，母豺选择配偶，光长相俊美举止文明是远远不够的，对野生动物来说，生存永远是第一位的，择偶必须服从生存需要。外表赏心悦目，看着不讨厌，这只能算是一条附带条件，“伟岸”和“忠诚”才是母豺择偶最重要的标准。

所谓“伟岸”，除了身躯高大健壮，就是看头脑是否聪慧，狩猎技艺是否精湛，发现猎物是否及时，追撵速度是否快捷，捕杀噬咬是否麻利，一句话，就是看生存能力是否出类拔萃。所谓“忠诚”，除了情意绵绵，就是看是否殷勤体贴，是否知冷知暖，是否感情专一，当母豺怀上小宝宝后，是否还像谈恋爱时那般情丝缠绵，当母豺产下幼豺进入漫长的育幼期后，是否仍能对它保持长久不衰的爱，并责无旁贷地承担起父豺的责任。

母豺挑选“伟岸型”公豺，是因为父代身躯高大狩猎技艺精湛，子代也就能获得优良的遗传基因，幼豺在弱肉强食的丛林里存活的概率也就要大得多。母豺挑选“忠诚型”公豺，是因为豺属于中型兽类，上有天敌，下有猎物，生活道路上充满危机，母豺单独抚养子女，幼豺的存活率很低，倘若有公豺陪伴在身边帮衬照顾，幼豺的存活率将大大提高。

爱情的本质，就是为了更好地繁衍后代。

母豺火烧云首先当然是要考察黑尾巴公豺是否是真正的“伟岸型”公豺。考察的办法很简单——把对方领到狩猎场，敬请它展示高超的觅食本领。

有一些公豺，外表看上去挺不错的，皮毛也鲜亮，四肢也强健，牙齿也尖利，却是中看不中用，绣花枕头一包草，马屙粪蛋外面光，到狩猎场动真格时，拙头拙脑，笨手笨脚，连兔子都追不上逮不着。它不能被对方漂亮的外表迷惑住，一定要亲眼目睹其确有非凡的觅食本领，才肯抛出爱的红绣球。

不一会儿，母豺火烧云来到尕玛尔草原。春天的尕玛尔草原，盛开姹紫嫣红的野花，蝶舞莺啭，兔奔狐蹿，几只鹰隼在空中巡飞，一群野骆驼在草滩漫步，充满生机与活力。它登上一块缓坡，悠闲地蹲坐在地上，伸出舌头舔舔嘴唇，又用爪子搔搔肚皮，意味深长地扭头瞟了黑尾巴公豺一眼，用形体语言明确告诉对方：我有点儿饿了，哦，你不是想当骑士想当护花使者吗？那就劳驾给我弄点儿好吃的来吧。

黑尾巴公豺迎风而立，耸动鼻翼作嗅闻状，颤抖耳廓作谛听状，突然双眼放光，直视前方约两百米远的一蓬野橄榄，呦地发出一声轻啸，身体像离弦的箭一般蹿了出去。它的动作轻柔快捷，尾巴平举，颈毛耸立，显得英武彪悍。四条腿好生了得，凹凸的肌肉饱满有力，一个扑蹿就能跨越两米左右。一眨眼工夫，黑尾巴公豺已经奔到野橄榄蓬前，嗖地钻进茂密的枝蔓。母豺火烧云只看见枝叶猛烈摇晃，似乎还听见兔子发出的惊叫声，仅仅三五秒钟时间，黑尾巴公豺就叼着一只肥胖的雪兔跑回来了，将猎物吐在它面前。它一看，雪兔颈椎已被咬断，但还没有死绝，在地上痛苦地抽搐。这么快就发现隐藏在野橄榄蓬里的猎物，证明这家伙嗅觉、听觉和视觉都非常灵敏，堪称一流。这么短的时间里就能捉住生性机敏的雪兔，证明这家伙身手矫健，出手不凡，具备优秀的身体素质和狩猎技巧。雪兔身上只在后颈窝有一排齿痕，其他部位没发现伤口，证明这家伙的噬咬本领高强，要么不咬，一咬就咬中要害。它虽然没亲眼目睹黑尾巴公豺是如何擒获这只雪兔的，但从雪兔身上的伤痕不难想象精彩的猎杀镜头。那只雪兔肯定以为自己藏匿在密不透风的野橄榄蓬下很安全，放松了警惕，黑尾巴公豺像阵风一样无声无息地蹿到野橄榄蓬前，闪电般的钻进去。雪兔听到动静想撒腿逃命，但已经迟了，黑尾巴公豺爪子已按住兔背，强有力的豺嘴刺进雪兔的后颈窝，只一口，就咬得雪兔瘫倒在地。整套狩猎动作干净利索，挑不出丝毫纰漏。要是换了它来捕捉这只雪兔，首先不大可能这么快就确定那蓬野橄榄下藏匿着猎物。隔得这么远，它起码要嗅闻好几遍才能在迎面刮来的山风中嗅出蛛丝马迹；它起码要这只耳朵听了那只耳朵再听，反反复复听好几遍才能从风声鸟声和枝叶摩擦声中分辨出雪兔藏匿在野橄榄下的嚓嚓声；它恐怕要再走近一百米才能看清雪兔活动的身影。因为心里不是很有底，它会边嗅闻边谛听边察看慢慢朝那蓬野橄榄摸过去。如此搜索前进，是不可能咬雪兔个措手不及的，极有可能不等它接近那蓬野橄榄，机敏的雪兔就会发觉危险，钻进弯弯曲曲的洞穴逃跑。就算附近没有洞穴可钻，雪兔奔逃的速度不亚于豺，距离相隔这么远，雪兔也有可能一溜烟逃之夭夭。就算它特别幸运，快摸到那蓬野橄榄跟前时那只雪兔才发觉危险，它跟在雪兔后面衔尾猛追，起码也要追出一两千米，雪兔累得口吐白沫时，才能将猎物扑倒咬翻，而且还不可能咬得这般麻利只一口就送雪兔上西天，至少也要咬个三五口才能咬得雪兔失去反抗能力。俗话说兔子逼急了还要反咬一口，说不定它捕捉时稍有疏忽还会被拼命挣扎反抗的雪兔咬伤脸和脖子呢。外行看热闹，内行看门道。它看得清清楚楚，黑尾巴公豺确实聪明机灵，才华出众，属于身体素质很棒的公豺。

“呦呦！”黑尾巴公豺舔舔雪兔的脸，发出温柔的叫声，用意很明显，是要母豺火烧云动嘴啃食。雄性动物将辛辛苦苦捕获的猎物奉送给雌性动物食用，其行为的性质类似于人类社会中男方给女方送聘礼或送定情物。

母豺火烧云嗅嗅雪兔，闻到一股甜甜的血腥味和兔肉香。它肚子确实有点儿饿了，口腔里条件反射地分泌出许多唾液来。可它忍住进食的冲动，滑动喉管将唾液咽了下去，退后两步，用一种不屑的神态将头扭转开，那是在告诉对方，这只雪兔引不起它的食欲。

——我的口味很挑剔，我要吃比雪兔更鲜美的猎物。

说实话，在众多食肉兽里，豺是最不挑食的。在人类的动物园里，豺是有名的粗放型饲养对象，既没有偏食的坏毛病，也没有挑肥拣瘦的坏习惯，饲养员喂什么它们就吃什么，粗茶淡饭足矣。不管是牛肉羊肉鸡肉鸭肉蛙肉鼠肉好肉坏肉瘦肉肥肉腐肉臭肉，只要是肉，豺都照吞不误，能塞饱肚皮就行，只要不挨饿就心满意足了，算得上是食肉动物中的平民阶层。母豺火烧云并不是真的嫌雪兔不好吃，在它的食谱里，雪兔虽算不上是顶级美食，却也是上等佳肴了，假如顿顿都能吃到雪兔，那简直就是豺中的大富豪了。它之所以强忍着进食冲动摆出一副对雪兔嗤之以鼻的神态来，醉翁之意不在酒，目的是要进一步考验黑尾巴公豺的狩猎本领。不错，黑尾巴公豺嗅觉、听觉和视觉都很灵敏，奔蹿速度也挺快，噬咬技巧也很熟练，但是，捕捉的对象毕竟是雪兔。虽说雪兔善于蹦跳，虽说兔子被逼急了也会反咬一口，可兔子总归是兔子，在大自然的食物链中，始终处在豺的下端，也是豺传统的猎杀对象，比较起来，是容易捕捉的猎物。有这种可能，黑尾巴公豺以往特别爱吃雪兔，钻头觅缝寻找并追捕雪兔，练就了一套猎杀雪兔的特殊技能，所以捉起雪兔来特别顺手也特别有经验，而对付其他动物就没那么高明了。好比人类社会里偏科的学生，数学很好语文却不行，或者英语是强项化学却一塌糊涂。它要试一试，黑尾巴公豺除了捕捉雪兔，对付其他较大型的猎物是不是也挺内行。它希望黑尾巴公豺是个全面发展的优秀猎手。

尕玛尔草原西南角，碧草蓝天间，出现一群小黑点儿，慢慢朝这儿移动。小黑点儿渐渐放大，变成大黑点儿，又变成四条腿行走的兽群。哦，是一群藏羚。

母豺火烧云喜滋滋地朝藏羚群跑去。老天爷慈悲，及时给它送来了最需要的东西。

藏羚肉可比雪兔肉鲜美多了，如果藏羚和雪兔任它挑选，它当然更愿意吃藏羚肉。更重要的是，藏羚不是轻易就能捕获的猎物。藏羚虽是一种山羊，却不是普通的山羊，藏羚性情勇猛体格强壮，身体是豺的两至三倍。俗话说身大力不亏，藏羚肌肉发达蛮力很大，与普通狗熊顶牛时，能顶得狗熊节节后退。藏羚的奔跑速度与雪豹不相上下，耐力极强，能一口气狂奔五六公里，不用歇脚也不用喘息。藏羚还有一个让掠食者头疼的习惯，就是族群成员间很团结，遭遇危险时，成年公藏羚会挺身而出保护母藏羚和小藏羚。藏羚头上的犄角又长又尖利，使掠食者很难钻空子捡到便宜。在日曲卡雪山一带，只有雪豹和狼群敢袭击藏羚。对豺来说，除非运气特别好，遇到一只落单的小藏羚或碰到一只受伤残疾的藏羚，否则是不大可能有胆量去袭击藏羚群的。因此，对豺而言，藏羚肉是难得的珍馐美味，就像天庭王母娘娘种的蟠桃，虽垂涎三尺，却可望而不可即。有好几次，它闹了饥荒，在高山雪域遇见藏羚群，只敢远远站着欣赏，画饼充饥式地在脑子里想象自己是如何扑倒藏羚大快朵颐享用美味藏羚肉的，然后将满嘴唾液咽下肚去，悻悻离开。

玫瑰好看不好摘，藏羚好吃不好逮。

它的豺眼里射出渴望的光，目不转睛地盯着前方那群藏羚，用意很明显，是在告诉那位黏在它尾巴后面的追求者：你能请我吃一顿藏羚肉的话，也许我的芳心就会被打动了。

这是高难度的测试，是需要用生命来冒险的爱情游戏。

黑尾巴公豺没有任何犹豫，嗖地往前蹿跃，直扑前方的藏羚群。

母豺火烧云心里一阵欣喜，雌性动物当然喜欢雄性为它赴汤蹈火。

这是一个以血缘为纽带的藏羚家庭，共有大小六只。为首的是一只皮毛灰褐色的公藏羚，肩胛高耸，胸部肌腱一块块鼓出来，壮实得就像一头小牛犊。两支一尺长的羊角笔直刺向空中，琥珀色半透明的角尖泛着寒光，显得威风凛凛。除了头羊，还有两只身体较小一些的成年母藏羚，另有三只未成年的小藏羚，其中有一只小藏羚绒毛轻柔，还在吃奶。黑尾巴公豺冲到藏羚群前，藏羚群开始一阵骚动，母藏羚发出惊慌的咩叫声，把小藏羚叫唤到自己身边，弯曲四肢摆出一副随时准备逃窜的姿势。等到看清仅有一只公豺在向它们挑衅，另有一只母豺蹲在不远的草墩上观望，附近总共只有两只豺时，藏羚们慢慢平静下来，收回转身欲逃的姿势。领头的公藏羚和成年母藏羚散布成不规则的圆圈，把小藏羚烘围在中间。按以往的经验，只要严密防范，体型瘦小的豺在藏羚群面前是不敢轻举妄动的，最多流着口水用贪婪的目光看上几眼，看看无隙可击，便会知难而退。藏羚们等着豺无趣地离去。

但黑尾巴公豺以藏羚群为轴心，绕着圈子小跑，一面跑还一面龇牙咧嘴发出凶狠的啸叫声，企图很明显——想找机会钻进藏羚群，袭击细皮嫩肉的小藏羚。

藏羚们不得不用警惕的目光严密监视黑尾巴公豺，以防遭到偷袭。

黑尾巴公豺就像一台不知疲倦的机器，围着藏羚群一圈一圈奔跑，发出让食草动物听着头皮发麻浑身起鸡皮疙瘩的叫声。

十多分钟后，那只领头的公藏羚沉不住气了。虽然只是一只身体比自己小得多的豺，但毕竟是杀羊不眨眼的刽子手，老是在自己身边不怀好意地转来转去，怪不舒服的。它们长时间处于高度戒备状态，密切注视豺的一举一动，身上的肌肉一直绷得紧紧的，也非常劳累。要想恢复祥和宁静的生活，看来只有以攻为守，主动出击，赶走这只黑尾巴公豺。

领头的公藏羚喷了个响鼻，勾紧狭长的羊脸，亮出头上的羊角，朝黑尾巴公豺撞来。黑尾巴公豺急忙扭头逃窜。领头的公藏羚追了几步，停了下来，冲着黑尾巴公豺的背影咩叫了一声，类似于胜利者的呐喊：短命豺，让你见识见识藏羚的厉害，再敢来捣乱的话，小心我头上的羊角挑你两个血窟窿！随后，领头的公藏羚在母藏羚钦佩爱慕的目光中得意洋洋地回到群体。殊不料，领头的公藏羚刚刚回转身，黑尾巴公豺也跟着回来了，仍然像刚才那样，在藏羚群前呦呦啸叫，跃跃欲扑。领头的公藏羚大怒，再次亮出羊角来撞黑尾巴公豺。黑尾巴公豺故技重演，又转身奔逃。当领头的公藏羚停下来时，黑尾巴公豺也停下来，当领头的公藏羚转身返回族群，黑尾巴公豺又蹿到藏羚群前龇牙咧嘴咆哮。

如此这般重复了十几遍，领头的公藏羚累得噗噗直喘粗气。

领头的公藏羚只能短暂地将黑尾巴公豺从藏羚群边赶开，却无法彻底摆脱黑尾巴公豺的纠缠。大自然存在这么个有趣的游戏规则：食草动物即使主动攻击食肉猛兽，也绝不会像食肉猛兽攻击食草动物那样穷追猛打锲而不舍，食草动物对食肉猛兽的进攻往往属于积极防御性质，进攻的目的是为了更有效地避开危险。因此，食草动物在攻击时虚张声势，扯直喉咙嘶叫，大幅度摇晃头上的犄角，只要把对方吓唬走，就算取得了伟大胜利，立刻就会停止攻击，鸣金收兵。

领头的公藏羚不敢追得太远的另一个原因，在于母豺火烧云就蹲在约百米远的草墩上。它不得不提防自己追黑尾巴公豺追得太远的话，母豺火烧云会乘虚而入袭击藏羚群。

当黑尾巴公豺再一次返回藏羚群跟前，领头的公藏羚一面摇晃羊角冲撞过来，一面气咻咻地发出咩咩叫声，像是在徒劳地咒骂：

——无赖豺，流氓豺，你有本事就扑过来，同我面对面搏杀一场，你没这个魄力就应该屁滚尿流逃得远远的！你既不敢同我斗，又一次次做贼似的溜到我们藏羚群边来，这究竟算怎么回事嘛！

哈，你进我退，你停我停，你退我进，这是很厉害的游击战术！

终于，领头的公藏羚不再亮出羊角冲撞黑尾巴公豺，每一次冲撞都没有结果，既无法在恶豺身上捅出两个血窟窿，也没法将恶豺赶走吓跑，那又何必浪费宝贵的体力呢？

黑尾巴公豺越来越靠近藏羚群，不但啸叫恫吓，还开始动手动脚，玩起骚扰战术。趁领头的公藏羚疏忽之际，突然扭头蹿到一只母藏羚背后，用爪子在羊尾上抓了一把，母藏羚吓得惊叫起来，不等领头的公藏羚赶来救援，黑尾巴公豺已经脱离藏羚群逃出好几丈远。过了一会儿，那只刚出生不久的小藏羚咩咩叫着，钻到另一只母藏羚肚子底下，小嘴咂动着寻找奶头。小家伙饿了，想吃奶呢！那只母藏羚蹁开腿摆正姿势以便让小藏羚吮吸到乳汁。趁此机会，黑尾巴公豺嗖地跳起来，扑到那只母藏羚屁股上，母藏羚吓得两眼发直，掉转头想要用羊角来抵挡，黑尾巴公豺早已从羊屁股上跳下来，迅速撤退了。

这种骚扰战术，虽然对藏羚身体的伤害微乎其微，但对这几只藏羚心理上的打击却是非常巨大。两只母藏羚不再对领头的公藏羚投去钦佩爱慕的目光，而是用怀疑埋怨的眼神看着领头的公藏羚，仿佛在责问：你这个当家“人”是怎么搞的呀，赶了半天也赶不走恶豺？

领头公藏羚奔到东跑到西，竭尽全力不让黑尾巴公豺接近藏羚群。它不再贸然向黑尾巴公豺进攻，积极防御变成了消极防御。它的两只羊眼红得像玛瑙，布满一条条血丝，神经质地用羊蹄刨着草地，无端地咩咩乱叫，显得心烦意乱。食草动物的神经是用草做的，身体再庞大肌肉再发达的食草动物意志也很脆弱。它的精神压力太大了，几近崩溃的边缘。

黑尾巴公豺步步进逼，比苍蝇还勇敢，一次又一次扑到两只母藏羚面前，或凶相毕露地叫嚣，或张牙舞爪地威吓。

羊心大乱，笼罩在一片白色恐怖中。

突然，领头的公藏羚长咩一声，撒腿朝日曲卡山麓方向跑去。这无疑是一种退却，家长率先逃跑，母藏羚和小藏羚当然也就跟着逃命。领头的公藏羚肯定是这么想的：自己没有能耐将讨厌的豺赶走，待在这里不能吃不能喝，分分秒秒处在高度戒备状态，真是活受罪，惹不起躲得起，那就离开此地，离开这只狡猾的癞皮豺。

黑尾巴公豺高兴得眉飞色舞，它要的就是这个效果。豺作为中型猛兽，攻击能力有限，假如藏羚坚持待在原地不动，耐心与它周旋，顽强与它对峙，严密保护小藏羚，它是很难捞到什么便宜的。现在藏羚群奔逃，它就有了猎杀的机会，有了乱中取胜的可能。

刚开始时，藏羚群逃跑得还挺有章法，一只母藏羚开路，另一只母藏羚殿后，把三只小藏羚夹护在中间，而领头的公藏羚则忽左忽右移动位置，大有为种群保驾护航的意思。队形编排得当，算得上是有秩序的撤退。

可黑尾巴公豺又玩起了避实就虚的游戏。领头的公藏羚跑到左边，它就绕到右边，领头的公藏羚冲到右边，它就溜到左边，连续不断地扑咬体格较弱小的母藏羚。藏羚群一会儿左侧告急，一会儿右侧出现险情，一会儿这只母藏羚大呼小叫要求紧急增援，一会儿另一只母藏羚一惊一乍呼唤领头的公藏羚前去帮忙。领头的公藏羚疲于奔命，顾得了左顾不了右，顾得了前顾不了后，如此边捉迷藏边逃命，速度当然不快，跑了好一阵才跑出几百米去。

母豺火烧云小跑着跟在藏羚群后面。到现在为止，它扮演局外豺的角色，平静地观看这场狩猎，没有插手去帮黑尾巴公豺的忙。眼下情景，要是它出手帮黑尾巴公豺，它相信，一定能配合默契，很快将那只还在吃奶的小藏羚擒获。但它克制住想要上前去帮忙的冲动，仍不动声色地冷眼旁观。这不是普通意义上的猎取食物，而是一场婚配考试，它要看看黑尾巴公豺是否能完全依靠自己的力量从藏羚群中抓到那只细皮嫩肉的小藏羚。

领头的公藏羚被黑尾巴公豺避实就虚、忽左忽右的战术弄得焦头烂额、防不胜防，无心再周旋下去，放弃保护妻小的责任，紧跑几步越过母藏羚和小藏羚，自顾自匆匆逃命去了。撤退的队形没了章法，两只母藏羚和三只小藏羚都想赶上领头公藏羚，闷着头拼命奔驰。一只母藏羚和两只半大的小藏羚体力稍强些，奔跑的速度也稍快些，紧追在领头公藏羚身后。另一只母藏羚和那只还在吃奶的小藏羚落在后头。

黑尾巴公豺的注意力集中在那只还在吃奶的小藏羚身上。食肉兽在追捕猎物时，首选的攻击目标就是老幼病弱者。柿子拣软的捏，狩猎挑弱的下手，掠食者都是机会主义分子。

还在吃奶的小藏羚虽然拼命迈动四肢，无奈身小力薄，怎么也跑不过成年藏羚，与领头公藏羚的距离渐渐拉开了。那只母藏羚紧贴在小藏羚身边，心急如焚，不断咩咩着催促小藏羚快跑。也许是心理压力太大的缘故，也许是逃命技巧太笨拙的原因，跑着跑着，突然，小藏羚脚下被草根绊了一下，打了个趔趄，扑通一声跌倒在地。母藏羚没想到小藏羚会跌倒，顺着惯性跑出去好几步。黑尾巴公豺抓住这个机会，脚下生风，嗖嗖像箭一般扑蹿上去，一下盖在小藏羚身上。这时，那只母藏羚已经发觉小藏羚跌倒，立即急转弯往回赶，见黑尾巴公豺已盖在小藏羚身上，赶紧勾起脸亮出羊角，对准豺胸狠狠冲撞过来。母藏羚虽然较公藏羚身体要瘦弱一圈，头顶的角也较短小些，但假如被撞个正着，后果也是不堪设想的。黑尾巴公豺不得不从小藏羚的身上跳闪开去。

猛烈的厮斗声和母藏羚的哀咩声随风飘散，已逃到前面的几只藏羚停了下来，短暂的回望后，另一只母藏羚护卫着两只半大的小藏羚继续往地形复杂的日曲卡山麓奔逃，领头的公藏羚则返身往回跑来，救援出事的藏羚母子。

紧要关头，领头公藏羚保护妻小的责任心又有所回升。

母豺火烧云看得很清楚，从吃奶小藏羚跌倒到母藏羚挺着羊角赶来，最多也就是六七秒钟时间。换句话说，黑尾巴公豺盖在小藏羚身上噬咬的时间极短。就豺而言，这么一点儿时间，要想咬杀小藏羚，难度很大，成功的概率很小。哦，当黑尾巴公豺跳闪开去后，那只小藏羚就站了起来，脖子和身上看不出有伤痕或血迹。猎物太大，猎杀的时间又太短，果然没能得手，母豺火烧云遗憾地想。那只母藏羚咩咩叫着，催促小藏羚赶快跑。小藏羚往前跳了一步，身体突然又失去平衡，一个歪斜，摔倒在地。“咩咩，咩咩！”它痛苦地叫着，挣扎了好一阵才又勉强站了起来，但身体摇摇晃晃，站立不稳。母豺火烧云仔细看去，嘿，小藏羚一条后腿的膝盖被咬伤了，脚杆曲吊起来，只能靠三条腿支撑身体。

黑尾巴公豺果真有勇有谋，能准确判断形势，进行最有效的扑咬。假如换一只智商平平的豺，见小藏羚跌倒，扑跃上去后，很可能会去咬小藏羚的脖颈，或者用豺爪撕扯小藏羚的肚皮，这样的话，效果不会很理想。这只小藏羚尽管还在吃奶期，但身体已有成年藏羚一半大，绝对体积要超过豺，豺的牙齿再尖利，豺的爪子再锐利，藏羚的脖子再细嫩，肚皮再薄脆，豺也绝无可能在六七秒内就咬断小藏羚的脖子撕开小藏羚的肚皮，这么短暂的瞬间，疯咬狂撕，最多也只能咬破一块颈皮，或在羊肚皮上撕出几道深深的血痕，撕咬得鲜血淋漓，看起来挺过瘾，其实并不会造成致命伤害。小藏羚照样能站起来奔跑，速度不会受到丝毫影响。假如真是这样的话，今天这场狩猎就有可能落空了。领头的公藏羚已赶到出事地点，必然会同母藏羚一起左右护卫着小藏羚奔逃，使黑尾巴公豺无隙可击。另一只母藏羚带着两只半大藏羚已逃进沟壑纵横的日曲卡雪山，黑尾巴公豺即使想要改换攻击目标也来不及了。黑尾巴公豺在短暂的瞬间没有去撕咬小藏羚的脖颈和肚皮，而是咬伤了小藏羚一条后腿的膝盖，这是非常高明的做法。虽然小藏羚身上看不出撕裂的伤口和喷流的鲜血，表面看上去没受到什么伤害，其实却遭到致命的打击。一只瘸着一条腿已无法奔跑的小藏羚，就算有成年藏羚保护，也难逃被捕食的厄运。

领头的公藏羚和母藏羚确实一左一右将小藏羚夹在中间，形成烘卫态势，企图奔逃。但刚刚跳了一步，咕咚，小藏羚又摔倒了。母藏羚舔吻小藏羚的额头，咩咩叫着，鼓励小藏羚再次站起来。小藏羚站倒是站得起来，但哆哆嗦嗦再也不敢举步蹿跃了。母藏羚奔出去一二十步，扭头咩咩高声叫唤，是想用叫声牵引，让小藏羚奔过去。小藏羚凄凉地叫着，小心翼翼迈动三条腿，走一小步就要停顿一下稳住身体重心，然后才能迈第二步，速度比蜗牛爬还要慢。

黑尾巴公豺这一口咬得又狠又准，小藏羚膝盖虽然没被咬断，但已伤筋动骨，一时半刻绝对好不了。

母藏羚还挺有耐心的，紧紧陪伴在小藏羚身边，一小步一小步往前挪动。领头的公藏羚焦躁不安地在母子俩身边跳来蹿去，看起来已经很不耐烦了。

黑尾巴公豺绕到三只藏羚前，发出挑衅式的啸叫，似乎要与领头的公藏羚决一雌雄。但当领头的公藏羚勾紧脸晃动头顶的羊角冲过来时，它却轻旋豺腰急步蹿到小藏羚跟前，迅速扑击。小藏羚根本没有能力躲闪，像个固定靶子，一扑一个准；小藏羚连站都站不稳，可以说已到了不堪一击的程度，轻轻一推就倒了。它也不咬小藏羚，好像闹着玩似的，不等母藏羚靠近，也不等领头公藏羚赶到，小藏羚一倒地，它立即跳蹿开去。

母藏羚仍守护在小藏羚身边，一遍又一遍地咩叫，还用嘴吻推搡小藏羚的屁股，努力想让小藏羚再站起来。遗憾的是，小藏羚伤痛加剧，加上被恶豺连续不断的扑击吓破了胆，跪卧在地上，怎么挣扎也无法再站起来了。

领头的公藏羚围着小藏羚转了一圈，突然撒腿向日曲卡山麓跑去。对它来说，再待在这里已徒劳无益，虽然说它不怎么怕豺，但豺毕竟是吃羊不吐骨头的恶魔，待在豺的身边感觉坏透了，要时刻提防遭豺的暗算。既然小藏羚已经身负重伤爬不起来了，难逃被恶豺宰杀的命运，那它还不如早一点儿离去的好。

领头的公藏羚跑出去一百多米后，停了下来，扭头朝母藏羚咩叫，用意很明显，是要母藏羚跟它走，别为了一只垂死的小藏羚而把自己的性命也给赔了进去。

母藏羚用仇恨的眼光看了黑尾巴公豺一眼，又用爱怜的眼光看了小藏羚一眼，仰天发出一声悲咩，面朝着小藏羚一步步后退，退出二三十步后，突然急剧转身，步履踉跄地跟随领头的公藏羚往日曲卡山麓奔去。它是一只母藏羚，势单力薄，无力与豺抗衡，除了逃跑别无选择。

被遗弃的小藏羚，自然成了黑尾巴公豺唾手可得的猎物。

当黑尾巴公豺将小藏羚拖到母豺火烧云面前时，小藏羚仍伸长脖子凝望母藏羚远去的背影凄厉咩叫，食草动物的哀嚎就是掠食者高奏的凯歌。

母豺火烧云享用着美味的藏羚肉，心里甜滋滋的。它一双慧眼没有看错，黑尾巴公豺确实大智大勇，狩猎技艺炉火纯青，称得上是豺中豪杰。能从藏羚群中觅取到小藏羚，对豺来说，对付其他种类的野羊如青羊山羊盘羊崖羊灰斑羚赤斑羚什么的就不在话下了。假如将豺的狩猎划分级别的话，捕捉藏羚算是最高级别的猎杀。求婚期的公豺能捕获藏羚，就好像通过了博士生考试，也是极有分量的一份彩礼，自然而然会打动母豺的心。

“伟岸”的考核已经通过，接下去要进行“忠诚”考核啦。

第七章 “忠诚”公豺

在人类的观念里，动物似乎没有爱情可言，完全受体内荷尔蒙的驱使，到了发情期，出于一种本能的欲望，见着谁就跟谁交配，滥交乱交。在人类僵化的观念里，动物界只有雌雄交媾，而无情感交流。人们将人类社会中男性用暴力凌辱女性，形容为发泄兽欲。兽者，动物也。意思就是说，凡动物，只有兽欲而无情爱，一见异性就急不可耐地直扑上去，也不管人家愿意不愿意，用暴力逼迫对方就范。似乎野兽就是野蛮和暴力的代名词。其实，这是天大的误解。这是人类对动物缺乏了解，强加在动物身上的罪名，说得严重一点，是对动物的肆意诽谤和诬蔑。

自高自大的人类常犯诬陷动物罪。可惜，人类很珍惜自己的名誉权，却不肯给动物名誉权，动物即使受了天大的委屈，也无法与人类对簿公堂，要求精神损害赔偿。

事实上，动物的求偶行为千姿百态，十分复杂。就像人类社会既有强暴之徒也有翩翩君子，既有三陪小姐也有端庄淑女，动物界婚配时当然也有恃强凌弱发泄兽欲的现象，但大多数动物婚配前都有个熟悉追求的过程，尤其是高等哺乳类动物，一般都要两情相悦才会交配。例如青蛙，雄蛙会在雌蛙身边连续鸣叫数小时，甚至通宵达旦唱情歌，直到雌蛙被唱醉了心，这才将爱情的玫瑰羞答答地开，批准这只雄蛙做新郎。再例如孔雀，雄孔雀一次又一次展示绚丽夺目的尾羽，俗称“孔雀开屏”，用美的色彩弄得雌孔雀神魂颠倒，一颗芳心无法自持，这才双双步入婚姻殿堂。就豺这种动物来说，婚配过程大致是这样的：首先在山野树根或岩石上涂抹自己身上的气味，散布爱的信息；第二步是猎场上或水源地邂逅相遇彼此认识；第三步是雄性若看中雌性便会主动展开热烈追求；第四步雌性若对该雄性有了好感，便会默许该雄性进入自己的日常生活，双双狩猎，双双饮水，在一起漫步消食或晒太阳，在这个过程中相互了解、增进友谊、培养感情；第五步是当雌性经过一系列测试觉得该雄性符合自己的择偶标准后，便会将情侣引进自己居住的洞穴，确立配偶关系。

母豺火烧云正处在豺婚配的第四阶段，套用人类的婚配规则，或许可称为恋爱期。它与黑尾巴公豺相识已经七天，对豺这样生命周期为十年的动物，七天的恋爱期已经不算短了。七天来，除了晚上各自回自己的领地睡觉，整个白天它们都是在一起度过的。一起觅食、一起饮水、一起在山花烂漫的草原奔跑、一起在雪线附近的岩石上享受暖融融的阳光浴，但却没有越过最后一道防线。黑尾巴公豺当然恨不得立刻就做新郎，可它总是含蓄地回避开。

豺一般来说没有什么贞操观念，母豺火烧云的思想也不怎么保守。它之所以迟迟没让黑尾巴公豺进它的大肚佛窟，是基于三方面的考虑：第一，假如见面后在很短的时间里关系就突飞猛进，它担心黑尾巴公豺会把它看作是举止轻浮的母豺，从而看轻它看低它看贱它。保持适度的雌性的矜持，能让对方明白自己的心迹——它不想玩风流游戏而是在认真寻觅佳偶，一旦婚配它会是一个红杏永不出墙的贤惠妻子，一旦生儿育女它会是个尽心尽责的好母亲。第二，容易得到的也容易忘记，轻易能得到的东西不会珍惜。在婚配的道路上适当增加难度，制造一些只要经过努力是能够逾越克服的障碍，增加对方婚配成本，迫使对方不断追加对未来家庭的投资。对方付出的越多也就会越珍惜来之不易的妻子和家庭，对方在婚配道路上经过努力所逾越和克服的障碍，也是爱的花絮，是将来家庭生活有趣的佐料。第三，路遥知马力，日久见豺心。时间是检验真心还是假心的试金石，只有通过一定时间的细心观察，并通过有效的测试，才能真正看清黑尾巴公豺是否具备“忠诚”的优良品质。

测试公豺的忠诚度，最好的办法莫过于看它是否经得起美色的引诱。

这样的机会并不难找。这天下午，饱餐一顿野猪肉后，母豺火烧云朝日曲卡山麓走去。它兴致勃勃地东张西望，雪山清泉森林草地，大朵大朵白云和漫山遍野的杜鹃花，表面看起来像在游山玩水欣赏如画美景，其实却是在找寻能对黑尾巴公豺进行爱情考验的“道具”，这“道具”当然是另一只雌豺。

它前一段时间曾跑到日曲卡山麓这块开满杜鹃花的山坡上来猎食，闻到同类的气味，晓得这里住着一只雌豺。虽然未曾见面，但从气味中嗅闻出这只雌豺芳龄约两岁，并从气味散播的信息中获知，这只雌豺目前还待字闺中，换句话说，爱情还挂在空挡上。具备这几项条件，很适合做它演戏的“道具”。

母豺火烧云来到一大片粉红色杜鹃花前，它在枝蔓间闻了闻，哦，那只雌豺没有搬家，还生活在这里。它沿着粉红色杜鹃花形成的狭长花带往前走，也是顺着那只雌豺布置的气味边界线往前走，暗中注意黑尾巴公豺会有什么反应。啧啧，黑尾巴公豺越走越慢，好像四只豺爪被无形的绳索拽住了，又好像地上有一层黏性极强的树胶，慢吞吞地落在后头，走几步就要钻到花丛下嗅闻几下，就好像蜜蜂被花蜜吸引住了一样。快走到半山腰时，前面一个树根缠绕的洞穴里闪出一只豺的身影，它瞄了一眼，果真与气味散发的信息吻合，是只年轻雌豺。酱红色的体毛在阳光下泛动青春光彩，两只眼睛像水潭里的太阳波光闪闪，或许可以起名叫水太阳雌豺，用豺的标准看，美得无与伦比。母豺火烧云偏着脑袋觑了黑尾巴公豺一眼，啧啧，这家伙的视线像被磁石吸引住了似的，目不转睛地盯着水太阳雌豺看。它干咳了两声，黑尾巴公豺蓦地一惊，赶快收回视线，可没过半分钟，趁它不注意，又扭头去看水太阳雌豺了。它心里酸溜溜的，这家伙在这方面不算太老实。不过再想想，公豺钟情，雌豺怀春，异性相吸，乃生命之规律，黑尾巴作为各方面都正常的大公豺，喜欢嗅闻年轻雌豺的气味，喜欢多看漂亮雌豺几眼，也不能算是太出格的行为。再说，豺是有初级审美功能的动物，能欣赏同类的形体美。水太阳雌豺确实美如天仙，连它都忍不住要多看一眼，更何况青春年少正处在发情期的黑尾巴公豺了。不能指望有这样的大公豺——看中并追求某一只母豺后，就对出现在自己面前的花朵一样鲜艳的其他雌豺，明明看见了美丽的倩影也视而不见，明明闻到了芬芳的气味也像没有闻到。要大公豺感情专一到这种程度，恐怕是不现实的。除了人类博物馆里做成标本的死豺，世界上打着灯笼也找不到一只坐怀不乱、视美色如粪土的大公豺。

这么想想，母豺火烧云心中的酸楚和气愤才得以渐渐平复。

哦，该实施预先设想好的考验方案了。它来到一蓬黄杜鹃前，轻轻叫了一声，发现一个老鼠洞。它装着兴趣盎然的样子，围着那蓬黄杜鹃兜圈子，这里刨刨，那里抓抓，似乎非要掘开地洞把狡猾的老鼠缉拿归案不可。它选择的位置很巧妙，刚好在气味边界线外面，与水太阳雌豺所居住的树根缠绕的洞穴形成一个斜角，可以瞄见对方的举动，自己却不易被对方发现。它聚精会神对付黄杜鹃下的鼠洞，好像整个心思都聚焦在捉老鼠游戏上，已顾不得注意其他事情了。这其实是它要的一个手段，要看看黑尾巴公豺会不会趁它不注意时跑去与水太阳雌豺勾勾搭搭。这个考验很重要，要是黑尾巴公豺趁它捉老鼠之际越过气味边界线跑去同水太阳雌豺调情，即证明这家伙花花肠子靠不住，道德防线很脆弱，将来肯定会背着它找其他雌豺偷情，成家后迟早会被其他雌豺拐走，那就应该趁早拜拜，防患于未然。

它背对着黑尾巴公豺和水太阳雌豺，前爪刨土弄得尘土飞扬，好像心思全在捉老鼠上了，实际上却不时偷偷扭头朝后窥探。它看得很清楚，水太阳雌豺蹲在树根缠绕的洞穴前，一会儿抬起前爪搔搔自己的耳根，一会儿伸长舌头擦洗自己的鼻吻，一会儿舔理自己胯部那片金黄色绒毛。作为雌豺，没有曲线美的概念，也不在乎胸围、腰围、臀围所谓的三围美。雌豺的美表现在耳根、鼻吻和胯部。雌豺的耳根有一撮白毛，生命力旺盛时那撮白毛长得茂盛而色泽明亮，年龄渐大那撮白毛便渐渐稀疏并色泽暗淡。就像人类年纪大了脸上会长皱纹一样，耳根那撮白毛可以说是雌豺年华的标志。柔软而肉感很强的鼻吻是豺健康的晴雨表。身体正常毛丛里寄生虫不多、吃得下睡得着时，鼻吻颜色呈深紫色，饱满丰润，略显潮湿如墨玉；身体器官出了问题，毛丛里寄生虫大量滋生、吃不下睡不着时，鼻吻颜色呈灰褐色，瘪皱枯焦，就像一坨晒干的牛粪。雌豺的胯部体现生育力，胯部绒毛洁净，肥硕而有弹性，证明有旺盛的生育力，能很快怀上小宝宝，一胎至少能怀三五只，并能顺顺利利产下活蹦乱跳的小豺崽。总的说来，对雌豺而言，美就是年轻加健康。水太阳雌豺明明知道气味边界线旁有一只公豺，却用一种优雅的姿势不停地梳理身体上三处最敏感的部位，很明显是在梳妆打扮，搔首弄姿，卖弄风情。

黑尾巴公豺本来就饶有兴味地在偷看，这一下更是神魂颠倒了，两眼发直，冲动地往前紧跑几步，似乎就

要不顾一切地越过气味边界线跑去与水太阳雌豺幽会。

色令智昏，魂就要被勾跑啦。母豺火烧云呦呶叫了一声，它仍是在专心致志捕捉老鼠，在黄杜鹃下爪刨嘴咬，听起来像是因为差一点儿就将老鼠从地洞里挖出来，却一不留神又让狡猾的老鼠逃脱了而发出的叹惜，其实却是在旁敲侧击地提醒：我就在你身旁，请别忘了这一点！提醒得很及时，黑尾巴公豺两条前腿已经跨过气味边界线，听到它啸叫，触电似的将前腿缩了回来，若有所思地回头看看它，蓬松开体毛使劲抖了抖身体，但愿是在把邪念抖落干净。

兜头浇你一盆冰水，让你热昏的脑子冷静下来。

黑尾巴公豺也跑到那蓬黄杜鹃下来了，脸上表情怪怪的，似有内疚之意。母豺火烧云停止挖掘鼠洞，近距离凝望黑尾巴公豺的眼睛。四目相对，黑尾巴公豺赶紧把视线避开，大概是因为自己动过坏脑筋而心里发虚吧。

“呦——呶——”另一边传来水太阳雌豺的叫声，柔声柔气，嗲声嗲气，音质还不错，用豺的标准来衡量，算得上悦耳动听。黑尾巴公豺忍不住又转身跑去气味边界线欣赏。母豺火烧云也扭头探望，啧啧，水太阳雌豺正乜斜眼睛瞅黑尾巴公豺，瞅得很妖媚，瞅得很热烈，瞅得很大胆，绝对的秋波频送。完全可以想象，假如黑尾巴公豺真的跨过气味边界线被勾引过去，水太阳雌豺极有可能会半推半就即刻就让其钻进树根缠绕的洞穴。

黑尾巴公豺抬头看看水太阳雌豺，又扭头望望母豺火烧云，在气味边界线来回走了几步，又在原地陀螺似的转动、逐咬自己的尾巴，显得内心很矛盾。过了约两三分钟，母豺火烧云看见，黑尾巴公豺尾巴猛地一甩，好像痛下了决心一样，从那道气味边界线上退了回来，贴到它身边，帮它一起对付那只深藏在地洞里的狡猾的老鼠。

母豺火烧云悬在心里的一块石头落地了，这至少可以证明，它在黑尾巴公豺心目中占据着重要位置，不是其他雌豺能轻易动摇的。同时可以证明，黑尾巴公豺虽然相貌英俊，却不是生性风流见一个爱一个喜欢拈花惹草的好色之徒。它觉得花力气冒风险来证实这一点很有必要，这能使它在迈出婚配的关键一步时心里踏实。起码，黑尾巴公豺在面对诱惑时，会慎重比较，会权衡利弊，会三思而后行。

母豺火烧云终于把土洞里那只硕大的老鼠刨出来了，将猎物衔在嘴里，转身离开这片开满杜鹃花的山坡。黑尾巴公豺赶了上来，同它并肩而行。“呦——呦——”

背后传来水太阳的啸叫，尾音拖得很长，透出失望、遗憾和委屈，声音的魅力很能打动豺心。它扭头瞅了一眼，水太阳雌豺已从树根缠绕的洞穴前跑到气味边界线，冲着黑尾巴公豺的背影叫呢，很明显带有挽留的意思。它又乜斜眼睛偷偷看身边的黑尾巴公豺。听到水太阳雌豺如泣如诉的叫声后，黑尾巴公豺在刹那间身体一阵震颤，步子忽慢忽快变得凌乱，两只耳廓最大限度地朝脑后扭，看得出来心里很不平静，但却没有停下来，也没扭头去看。

有贼心没有贼胆，贪恋其他雌豺的美色却害怕被自己老婆发觉，顾虑重重望而却步，产生意淫却不敢付诸行动，大公豺能做到这一点已经很不容易了。

黑尾巴公豺总算过了美色这一关，虽然有点儿勉强。

对大公豺来说，在这个问题上高标准严要求的话，恐怕一万只里头也没有一只能合格的，天性使然，荷尔蒙作祟，这是没有办法的事情。在这个问题上对大公豺只能低标准宽要求，马马虎虎，只要到最低及格线就不错了。

好啦，该进行“忠诚”第二阶段的考试了。

这场考试的地点选在雪线附近的一片乱石滩。那天下午，它和黑尾巴公豺一起追逐一只马鹿。马鹿善跑，沿着雪线飞奔而去。它竭尽全力追赶，山坡上布满被融化的雪水冲刷下来的大大小小各种形状的石头。它一脚踩在一块长着青苔的圆形卵石上，刷地滑了一下，身体摔出两米远，呦地惨叫一声。黑尾巴公豺晓得出事了，停止追撵，跑到它身边来。它躺在石头上，咝咝抽着冷气，非常痛苦的样子。它挣扎了几次好不容易才站了起来，哦，一条前腿崴伤了，勾在半空中，脚爪无法沾地，当然也就无法行走，一瘸一拐勉强走了几步，不得不又躺倒下来。

它表演得非常逼真，圆形卵石墨绿色的青苔上留下一条很明显的擦痕，摔出去两米远的姿势也看不出任何破绽。豺毛上沾了许多泥巴，蓬头垢面，身上脏兮兮的，勾吊在空中的前腿瑟瑟发抖，看起来这一跤确实摔得不轻。当然，前腿只是崴伤而已，并没有折断，一看就知道不会造成永久性残疾，养一段时间自然会康复。

它之所以选择这么一个地点，造成这么一种伤势，是经过缜密考虑的，是为了有效检测黑尾巴公豺能否在它生育和抚养幼豺期间保持对它的爱心。

先说地点，之所以挑选在雪线附近，是看中这里气候恶劣。正值春天，山下的尕玛尔草原暖风和煦，即使到了夜晚睡在露天也挺舒服的。雪线附近就不同了，举目望去仍冰天雪地，特别是到了夜晚，寒风呼啸，仍像冬天一样冷。这可以对应将来它分娩期间的艰苦生活。对母豺来说，分娩也是一道鬼门关。从即将临盆到小宝宝落地，它起码会有一两天时间躺在洞穴里无法动弹，痛苦得要命，也虚弱得要命。不仅需要对方陪伴在它身边给它温暖、慰藉以减轻它的痛苦，还需要对方单独外出狩猎给它提供新鲜食物。对公豺来说，这是一段非常艰苦的日子，守护着痛苦不堪的母豺，听着一声声刺耳的呻吟，即使刮风下雨，即使天寒地冻，也要硬着头皮出去找寻猎物。大约有百分之三十左右的公豺，受不了如此艰苦的生活，往往在母豺临盆前躺倒不能动弹时，假装外出去找食物，结果脚底抹油溜了，跨出洞穴后从此再也不回来，留下母豺独自在家受苦受难。它决不能找一只害怕艰苦、逃避责任的坏良心公豺进它的大肚佛窟。模拟恶劣的气候环境，能更准确地判断黑尾巴公豺是否具有高度责任心。

再说伤势，不能伤得太轻，太轻没有考验价值。不就是崴了一下腿吗，不就是走路有点儿瘸吗，不要紧的，躺半个小时就会恢复正常，或者先慢慢走一段，活动活动筋骨，过一会儿说不定就能奔跑如飞了。这么一来，就算黑尾巴公豺是只惯于逃避责任的坏良心公豺，也丝毫不会产生想要离去的念头。可是，也不能伤得太重，假如骨头断裂，一条前腿像折断的麦穗在空中晃荡，永远也休想治好，一辈子将是一只走一步摇三摇的残疾豺，生活不能自理，生下幼豺后除了喂奶全部要靠公豺养育，即使是只具有高度责任心的好公豺，恐怕也会从它身边头也不回地逃走的。在超过极限的生存压力下，别再奢望有什么良心和感情。伤势必须是说轻不轻说重不重，恰如其分地对应母豺分娩期所要面临的困境。哦，是伤得挺厉害，走都不会走了只能躺卧在原地，但也不是无可挽救的致命伤，这只是阶段性的创伤，也许要躺一两天，也许要养十天半月才能奔跑狩猎，但绝不会是遥遥无期地永远这样下去。困难是暂时的，黑暗是暂时的，只要有耐心有信心，苦日子很快就能熬出头，前景仍然十分光明。百分之七十的公豺之所以能忍受母豺分娩期艰苦的生活没有开小差逃走，很大程度上是靠对未来美好的憧憬。那些好公豺是这么想的：不就是艰苦这么几天吗，不就是风里来雨里去受十天半月的罪吗，咬一咬牙就挺过去了，生活很快就能恢复正常，就当是一项能生利息的感情投资，现在付出一些辛劳，母豺会感恩戴德，一旦把幼豺抚养长大，下一个发情期来临时，母豺会对它加倍温存，生活会变得更幸福美满的。

母豺火烧云所设计的这份考卷，其实就是对将来生活的预演。

它躺在乱石滩上，愁眉苦脸地望着黑尾巴公豺。呦呦，我很不幸，出了这么个意外，拖累你了，我很害怕，别丢下我不管。黑尾巴公豺在它身边绕来绕去，还轻轻舔吻它的脸颊，显得很体贴的样子，没有丝毫想要离去的意思。

时间在一点一滴流失，头顶的太阳步入下行的轨道，慢慢滑到山背后去了。紫色暮霭从山腰树林涌出，沿着山坡迅速爬上来，明亮的天空渐渐变成铅灰色。哦，黄昏来临了。母豺火烧云虽然躺卧不动，体能照样会消耗，大半天没吃到东西，肚子咕噜咕噜饿得慌。它瞅瞅黑尾巴公豺，不断用舌头舔自己的嘴角，还做了几次咽唾沫的动作，那是在暗示对方，自己想吃东西了。

黑尾巴公豺很聪明，立刻领会了它的意思，箭一般冲下山去。天渐渐黑了下来，原先还看得见山腰树林的轮廓，现在已经黑乎乎一片什么都看不清了。最后一群暮归的乌鸦也进巢睡觉，仍不见黑尾巴公豺回来，它未免有些焦急。据它所知，公豺想要从母豺身边溜走，往往都是借口去觅食，壮士一去兮不复还，去了以后就再也不回来了。黑尾巴公豺会不会也采取同样的办法从它身边溜之大吉呢？它忍不住站起来瞪大眼睛往山下张望，光线太弱，十几米开外就模模糊糊，豺眼瞪得酸痛也没发现动静。就在这时，山坡上窸窸窣窣传来小石头滚落的声响，它赶紧重新躺卧下来。哦，一条黑影飞快地从山坡下蹿了上来，它闻到熟悉的气味，是黑尾巴公豺回来了。嘿，要不是它反应灵敏，假装受伤的计谋就露馅儿了呀。

黑尾巴公豺奔到它跟前，它听到沉重的喘息声，呼噜呼噜，就像在拉风箱。毫无疑问，这家伙得到猎物后，怕它等得焦急，一分钟也舍不得耽误，拔腿就往回跑，以百米冲刺的速度奔上山来，所以才会累得上气不接下气的。想到这一点，它心里甜滋滋的，胜过吞吃任何猎物。黑尾巴公豺喘息一阵，嘴吻伸了过来，将一只老鼠塞到它嘴里。临时找食，时间这么仓促，天色昏暗，能见度这么差，能逮到一只老鼠已经很不错了。现在这种情况，食物的质量是次要的，真心实意才是最重要的。它用嘴接过老鼠，胡乱嚼了两口咽进肚去。然后仔细察看，这家伙肚子空空的，嘴里没有咀嚼过食物的迹象，牙缝里也没有骨渣肉屑，看来没背着它吃任何东西。它觉得了解这一点非常重要，天已经暗下来了，豺是夜伏昼行的动物，作息习惯与人类相似；豺没有猫头鹰或猞猁之类猛禽猛兽的夜视功能，豺只在白天有敏锐的视线，在黑暗中视力一般，因此豺在夜晚是很难捉到猎物的。黑尾巴公豺心里肯定也清楚，在黄昏夜雾中捉到这只老鼠，是最后的晚餐，不可能再继续捕捉到第二只老鼠或其他食物。这家伙跟它一样也是大半天没吃到东西了，肚子当然也饿得咕噜咕噜叫，却没有舍得吞下这唯一的一点儿食物，而是带回来喂它吃。这可以推想到将来，当它分娩期间必须靠黑尾巴公豺单独觅食时，肯定会发生食物紧缺现象，黑尾巴公豺会把仅有的一口食物省给它吃。公豺这种品德对母豺和幼豺具有生存益处，是最为珍贵的。它为黑尾巴公豺拥有这种宝贵的品德，也为自己慧眼识金没有看错它，感到由衷的高兴。

更严峻的考验还在后头。

天完全黑下来了，前头不远就是雪山垭口，这儿正处在下风位置。起风了，雪山垭口的夜风比预想的还厉害，呼呼尖啸，用鬼哭狼嚎来形容一点儿也不过分。雪层被狂风铲起，扬上天空，冰粒雪尘飞舞成团，迎面刮来。气温骤然下降，仿佛又回到了天寒地冻的隆冬季节。这儿光秃秃一片乱石滩，没有可以遮挡寒风的树，也没有可以钻进去躲避雪尘的石缝或洞穴。生活在日曲卡山麓的豺，为适应天时地利，体毛会随着四季更替而发生显著变化：秋天时体毛加密绒毛加厚，以抵御即将到来的冬天的严寒，春天时绒毛逐渐脱落体毛变薄，以适应即将到来的夏天的酷热。就像人类要随着季节变化增加或减少身上的衣裳，豺也会随着气温的升降来加密或稀疏身上具有保暖功能的毛。现在已是春天，豺身上的体毛掉落了不少，已经脱去了冬装，不像冬季那般耐寒了。纷洒的雪尘濡湿了皮毛，山风一吹，冷得瑟瑟发抖，身体都快冻得麻木了。母豺火烧云躺在冰凉的石头上，将身体紧紧缩成一团，呜呜呻吟，用哀怨的眼光望着身边的黑尾巴公豺。

——这儿无遮无蔽，风像刀子一样刮在我身上，我快冻僵了，我要冻死了！

黑尾巴公豺走过来，侧躺在它身边，左侧两条腿勾住它的身体，就像给它盖了一条缓和的被子。还有一个特别让它感动的细节，黑尾巴公豺用柔软而又温暖的腹部焐在它那条假装崴伤的腿上，如此细心如此体贴如此周到，真让它感动。山风继续肆虐，雪尘继续随风飘洒，气温继续下降，但它却感觉比刚才暖和多了。

黑尾巴公豺盖在它身上，刀子似的山风全刮在黑尾巴公豺身上，冰冷的雪尘也全部飘洒在黑尾巴公豺身

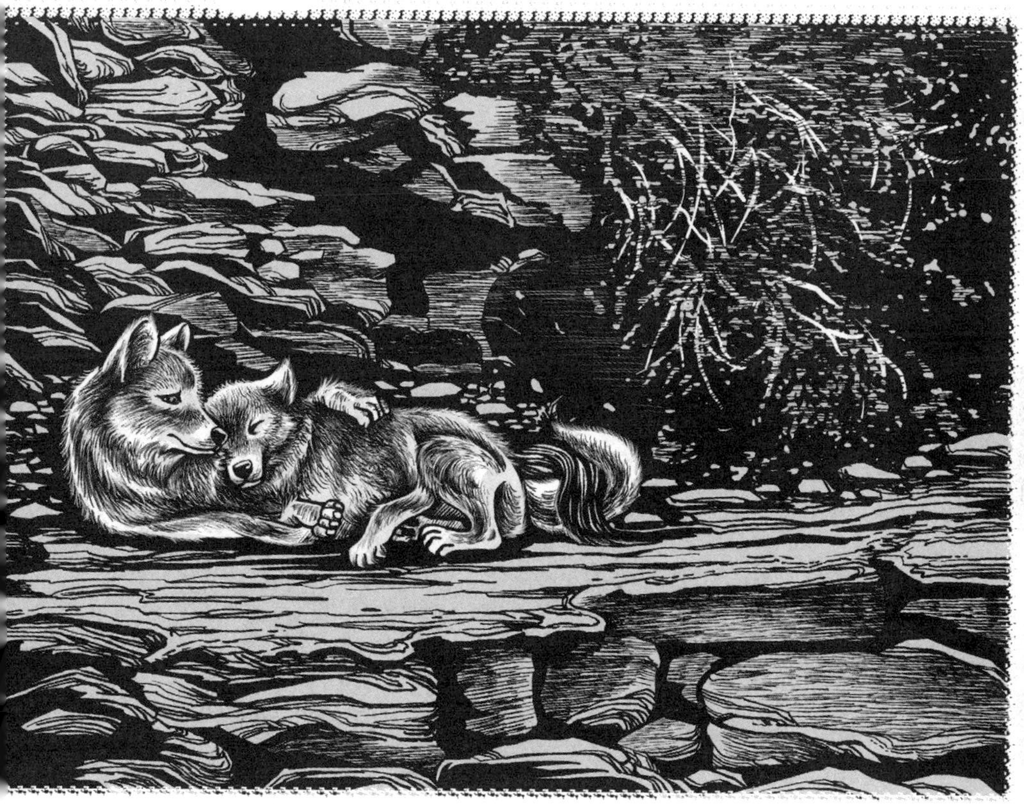

上。它把脸埋在黑尾巴公豺颈窝下，感觉到黑尾巴公豺身体在不停地颤抖。雪尘被体温融化成水后，从黑尾巴公豺身上滴落到它身上。啊啾，黑尾巴公豺打了个喷嚏。它心头一紧，假如黑尾巴公豺被冻坏了身体，这场考验就太得不偿失了啊。它正想着要不要提前结束这场考验，突然，黑尾巴公豺脱离它的身体站了起来，呦呦叫两声，冲进黑夜在乱石滩奔跑起来。难道说这家伙吃不起这份苦，想要打退堂鼓弃它而去了？它心里打了个问号，在黑暗中瞪大眼睛张望，模糊地看见黑尾巴公豺在乱石滩上绕着圈子奔跑，还连续做了几个跳跃动作，也不知道究竟是在干什么。过了一会儿，黑尾巴公豺又跑回它身边，重新侧躺下来半盖在它身上。它明显感觉到黑尾巴公豺身上热腾腾的，心跳在加快，血液在奔流，体温在上升。它这才晓得，黑尾巴公豺并无受不了苦想要弃它而去的念头，而是实在冷得受不了了，可能四肢快冻僵了，在乱石滩上奔跑几圈，活动活动身体，靠剧烈运动来增加身体的热量，抵御刺骨的寒冷。

毫无疑问，和这样的公豺结成伉俪，即使它在育幼期间发生什么意外，或生病躺倒，或很长一段时间因身体虚弱而不能猎食，都能得到悉心照料。

哦，考试该结束了，黑尾巴公豺大部分项目都考出优秀成绩，虽然有个别项目考得勉强及格，但总分很高，符合它的择偶标准。它装着想翻身的样子，用三条腿支撑着身体站了起来，动了动勾吊在空中的那条崴伤的腿，好像突然间发现这条腿可以伸缩活动了。哦，伤势奇迹般好转了，勾吊的腿可以放下来了，甚至可以足尖点着地一瘸一拐走路了。它在黑暗中摸索着往山下去，开始走得慢一些——腿伤痊愈总得有个过程嘛，走到山腰，腿脚便利索了，可以小跑了。天色微明，阳光像一支支金箭穿透云层照射大地，树冠上雀鸟啁啾，新的一天开始了。黑尾巴公豺确实是它理想中的白马王子和梦中情人，健康强壮，头脑聪慧，对它又一往情深，它没什么可挑剔的。它要把黑尾巴公豺带回大肚佛窟，它要为黑尾巴公豺敞开心扉，敞开心怀，敞开心灵，敞开自己的一切。

第八章　良缘破碎

前面就是大肚佛窟，一片乳白色的晨岚在洞口飘荡，就像挂着白纱门帘。

母豺火烧云找了一块野花最茂盛的草地，在里头打滚，用晶莹的露珠擦洗掉自己身上的泥巴和尘土。它要把自己变得焕然一新，干干净净迎接新生活。它跳到盛开的野花丛中，在五颜六色的花瓣中摩蹭脸颊、颈窝、胸脯和胯部，用花的芬芳熏染自己的身体。豺鼻子不仅仅喜欢闻浓烈的血腥味，也喜欢闻鲜花的清香。它像化新娘妆一样装扮着自己，当然化的是豺式新娘妆。许多有思维能力的哺乳类动物，婚配前也有特定的欢庆仪式。

一切准备妥当，它带着黑尾巴公豺进入大肚佛窟。

用豺的标准来衡量，大肚佛窟算得上是高级婚房了。

黑尾巴公豺多日的苦等终于有了完美的结果，梦想成真，马上就要做新郎了，真是喜上眉梢乐不可支。它优雅地摆甩着那条与众不同的黑色大尾巴，紧跟在母豺火烧云后面迫不及待地往大肚佛窟里钻。洞房花烛夜，不仅是人生一大喜事，也是广大动物生活中的一大喜事。

黑尾巴公豺前半个身体已经探进洞去，突然怪叫一声，像触电似的退了回去，两只豺眼瞪得几乎要从眼眶里蹦出来了，满脸恐惧的表情，活像大白天撞见了鬼。

母豺火烧云十分诧异，你这是怎么啦，新郎还扭扭捏捏害怕进洞房？

黑尾巴公豺惊骇的目光从它双腿间穿过去，它顺着黑尾巴公豺的视线低头一看，哦，原来是小狼崽甜点心正欢奔到它身边。小家伙肯定是守候在大肚佛窟洞口等了它一夜，想它想得焦急不安，见到它回来亲热得不得了，在它腿膝边缠来绕去，又是舔又是啃的。这半个白天加一个夜晚，它忙着考察黑尾巴公豺，差不多把留在大肚佛窟的小狼崽甜点心给忘了。显然，黑尾巴公豺突然看到从幽暗的石洞里蹿出一只小狼崽来，没有任何思想准备，出于对比自己强大的狼的畏惧，心里惶惶不安。

黑尾巴公豺身体扭转半圈，脸还对着洞口，曲蹲着四肢，摆出一副随时准备跳起来逃窜的姿势，从喉咙深处发出粗鲁的叫声，好像在责问它：你这是在搞啥子名堂哟？把我带到狼窝里来，你究竟安的是什么心呀？

哦，别紧张，你不会受到任何伤害的。为了解除黑尾巴公豺的疑虑，它逗着玩似的一爪子将小狼崽甜点心推搡在地。看清楚了没有，这只小狼崽同我挺熟的，可以像玩具一样随便逗着玩，你放心好了，四周绝对没有其他成年狼。

小家伙饿了半天一夜，早就等得有点儿不耐烦了，打了个滚从地上跳起来，奔到它面前，嘴吻对着它的嘴吻，一张一阖咂动，意思很明显，是要它反刍出肉糜来。它昨天夜里才吃了一只老鼠，早就消化得差不多了，张开嘴反刍了好一阵，才吐出几小口半流质肉末。小家伙当然吃不饱，继续在它面前纠缠不休。它不耐烦地将小家伙从身边驱赶开，好了，我现在肚子里没有东西可以喂你，待一边去吧，等一会儿我再出去找食给你吃。

小狼崽甜点心委屈地呜咽着，躲到石洞角落里去了。

黑尾巴公豺惊恐不安的目光始终盯着小狼崽甜点心，浑身豺毛耸立，呦呦叫个不停。

哦，请放松些，这是个安全的家，绝对没有问题的！母豺火烧云躺在地上伸了个懒腰，努力表现出轻松自如的样子，希望能使黑尾巴公豺镇定下来。

黑尾巴公豺缩头缩脑小心翼翼地一步一步朝小狼崽甜点心走去，一边走一边耸动鼻翼作嗅闻状，好像在检测这只外表像狼却又生活在豺的巢穴里而且还吃母豺火烧云反刍出来的肉末的家伙究竟是什么玩意儿。黑尾巴公豺从小狼崽甜点心的尾尖开始嗅闻起，脚爪、腿弯、肚皮、脊背、脖子、脑壳。豺的嗅觉非常灵敏，成熟的有经验的公豺在冬天时能刨开积雪嗅闻到土层下面正在冬眠的蛇的气味。小狼崽甜点心虽然是吃母豺火烧云的奶长大的，在豺的巢穴里生活了一个冬天，受到潜移默化的熏陶，身上覆盖着一层豺的气味，但甜点心本质上是狼种，血管里流淌的是狼血，身上真正的气味是狼的气味。黑尾巴公豺的鼻子很快就透过甜点心身上表层的豺气味闻到了隐藏在毛丛深处狼的气味。眼睛或许会骗豺，但鼻子永远不会骗豺，黑尾巴公豺很快通过嗅闻证实面前的甜点心从外貌长相到气味特征都是狼崽子。刹那间，黑尾巴公豺龇牙咧嘴如临大敌般的狂啸起来。甜点心虽然才两个多月大刚刚断奶不久，但毕竟是狼种，面对黑尾巴公豺的威胁叫啸，毫不惧怕，也倏地跳了起来，亮出锯齿般的一嘴狼牙，用稚嫩的嗓子呦呦号叫。豺啸狼嚎，闹得乌烟瘴气。母豺火烧云赶紧蹿到它们中间，将狂怒的公豺和发脾气的狼崽分隔开来。

——别闹了，你们这是要干什么呀，想把好端端的家变成你死我活的战场吗？

小狼崽甜点心毕竟是吃它的奶长大的，受了它的呵斥，乖乖地停止了号叫，退到洞底石旮旯里，躺卧下来，头埋进臂弯，露出两只白多黑少的眼珠子，不友好地打量黑尾巴公豺。

黑尾巴公豺仍显得非常激动，在狭窄的石洞里蹿来跑去，发出长长的啸叫声。经过它身边时，黑尾巴公豺突然跷起一条后腿，有点儿像要撒尿的样子。它皱紧了眉头，成年豺还在巢穴里排泄，这也太不讲卫生了嘛。奇怪的是，黑尾巴公豺并没有撒出尿来，“呦歐，呦歐！”黑尾巴公豺脖颈大幅度扭动朝自己大腿内侧急促地叫。它再仔细一看，黑尾巴公豺跷起的那条大腿内侧有一道两寸长的粉红色蚯蚓状伤疤，还有利牙噬咬的齿痕。从伤口大小和齿痕形状不难判断，黑尾巴公豺是给某只恶狼咬伤的。黑尾巴公豺在这个时候亮出身上被狼撕咬的伤疤，用意不难猜测，是控诉狼的罪恶，也是诉说不能与狼——不管是成年狼还是小狼崽——同在一个巢穴生活的理由。

它虽然没有亲眼目睹黑尾巴公豺是怎么被狼咬伤的，什么时候被咬伤的，又是被哪匹恶狼咬伤的，但从受伤的位置及伤口的深浅不难判断，十有八九是在一次狩猎时，黑尾巴公豺擒获了一只黄麂或褐马鸡，还没来得及享用，突然荒山沟里蹿出一匹饿狼来，蛮不讲理地要抢夺黑尾巴公豺口中的猎物。黑尾巴公豺拼命奔逃，无奈速度比狼慢，很快便被狼追上。黑尾巴公豺不甘心自己辛辛苦苦捕捉到的猎物就这样给剪径强盗抢了去，便抖擞精神与狼厮斗。豺当然不是狼的对手，两个回合下来，黑尾巴公豺就被狼压翻在地，大腿内侧被狼狠狠咬了一口，要不是它扔下猎物钻进荆棘灌木丛，恐怕早就变成荒原上的一堆白骨了。

想起来还心有余悸，想起来就恨得牙痒痒。

豺与狼本来就是大自然里激烈竞争的对手，世界上没有哪只豺愿意同狼生活在一起，更何况是一只曾经惨遭狼害差一点儿命丧狼口的豺。

黑尾巴公豺瞪着一双隐含杀机的眼睛，刻毒地低啸着，几次三番想扑向蜷缩在石洞底端的小狼崽甜点心，都被母豺火烧云挡了回去。

母豺火烧云心里很乱，不晓得该怎么办才好。它没想到，黑尾巴公豺对狼仇恨这么深，简直就像眼睛里容不得沙子一样无法容忍小狼崽甜点心的存在。也怪它自己考虑问题不周到，它理应在决定把黑尾巴公豺带回大肚佛窟前设法将小狼崽甜点心处理掉。它不大可能狠得下心来把小家伙真的当甜点心吃掉，但它可以把小狼崽带到一个需要跋山涉水才能到达的遥远的荒山沟丢弃掉，或者拖到终年不化的雪山塞进深不见底的冰洞。现在黑尾巴公豺已经看见小狼崽甜点心了，蠢蠢欲动想要冲上去噬咬，它到底是该阻拦还是该悉听尊便？

黑尾巴公豺气咻咻地蹿到石洞口，两条腿跨出洞外，两条腿滞留洞内，摆出一副亦可进亦可退的姿势，发出一串愤懑的叫声，意思再明显不过了：假如不让它咬杀小狼崽，它就跨出洞扬长而去；如果想让它留在大肚佛窟，那就要由它处置小狼崽。

母豺火烧云当然知道，黑尾巴公豺的要求很合理。豺和狼不可能同居一穴，有豺无狼，有狼无豺，水火不能相容，没有调和的可能。

可是，它能眼睁睁看着黑尾巴公豺当着它的面把甜点心撕成碎片吗？尽管甜点心是一只小狼崽，但吃过它好几个月的奶，心里总有难以割舍的感情啊。

黑尾巴公豺在石洞口徘徊了一阵，见母豺火烧云迟迟没有表明态度，猛地一甩那条黑亮黑亮油光闪闪的尾巴，转身跑出石洞，步履沉重，嘴里发出委屈的啸叫。它不能生活在有狼的洞穴里，看见狼的影子就会头皮发麻，听到狼的号叫就会心惊肉跳，闻到狼的气味就会浑身起鸡皮疙瘩，哪怕只是一只小狼崽，也会让它寝食不安的。它只有退却。

母豺火烧云呆呆地看着黑尾巴公豺退出大肚佛窟，走进石洞前那条两边都是灌木丛的狭窄通道，眼瞅着就要拐弯消失了。突然间，母豺火烧云惊醒过来，自己发疯了吗，动了这么多脑子花了这么多精力，精挑细选好不容易才选中了黑尾巴公豺，怎么就舍得让它离去呢？是的，世界上有成千上万的公豺，但真正要找到一个让自己各方面都满意的配偶却并非易事。许多身强力壮狩猎技艺精良的公豺，忠诚度却很低，见异思迁，吃着碗里的望着锅里的，见到雌豺骨头就要酥软，根本别指望能跟你长相厮守，也别指望能在你分娩和哺乳期间最脆弱最需要配偶照顾的时候留在身边；一些本分老实的公豺，虽然忠诚度较高，愿意陪伴在你身边，但狩猎技艺很一般，平庸无能，就像一坨湿泥巴而非两块火石，待在你身边激不起你的情感火花，也难以指望能在你分娩和哺乳期时，能让你过上宽裕舒心的日子。像黑尾巴公豺这样，既身强力壮狩猎技艺精良，又忠诚可靠爱意缠绵愿意长时间陪伴在你身边的豺，太少太少了，可以说是百里挑一。是的，黑尾巴公豺不顾它的反对，执意要扑咬小狼崽甜点心，这一点做得不够绅士，但金无足赤豺无完豺，没有缺点的豺是不存在的。再说了，豺痛恨狼，乃天经地义。豺穴里容不得小狼崽，也是情理之中的事，对公豺来说算不得是什么缺点。一边是快要同它喜结良缘的公豺，一边是一只小狼崽，放在心的天平上称一称，孰轻孰重，是不言而喻的。它犯不着为了一只小狼崽而牺牲自己的幸福，更何况它还是杀子仇敌的遗孤。成全黑尾巴公豺，也就等于成全它自己。

干吗要犹豫不决，干吗不能像扔掉一块啃干净的骨头那样扔掉莫名其妙的心理障碍。

“呦——呦——”它朝即将出走的黑尾巴公豺发出挽留的啸叫。

——请别离开我，你爱干什么就干什么吧，我不会再阻拦你了。

黑尾巴公豺其实也是不愿意离开大肚佛窟的，听到母豺火烧云挽留的叫声，立刻转身奔了回来，直扑洞底的小狼崽甜点心。这家伙口水从嘴角滴落下来，豺眼里闪烁着饥饿的光。瞧这模样，恨不得马上将小狼崽甜点心大卸八块吞下肚去。

也许，对黑尾巴公豺来说，小狼崽甜点心确实是一席不错的婚宴。

母豺火烧云用爪子推开黑尾巴公豺的嘴，朝洞外短促地叫了数声，不允许黑尾巴公豺在大肚佛窟里咬吃小狼崽甜点心。

——哦，我不愿意我俩的新房变成血淋淋的屠宰场，你把小狼崽带出洞去，到了洞外你要怎么处置随你便。

黑尾巴公豺很快明白了它的意思，扑到洞底石旮旯里，大声咆哮，猛烈推搡，逼迫小狼崽甜点心往洞外去。小狼崽甜点心虽然竭力抗争，无奈体小力弱，小狼崽终究不是大公豺的对手，在武力威逼下连滚带爬往洞外退却。

这情景很有点儿像刽子手将死囚犯押赴刑场。

小狼崽甜点心经过石洞中央时，拼命往母豺火烧云身边靠过来。母豺火烧云赶紧把身体转了过去，面壁而立。它无法忍受黑尾巴公豺凶神恶煞的模样，也无法忍受小狼崽甜点心挣扎求救的惨状，假如它不转过身去的话，很难控制住自己，极有可能又要冲过去干预阻止黑尾巴公豺行凶了。移开视线，凝望岩壁，也许就能眼不见心不烦了。无奈耳朵没法堵起来，黑尾巴公豺的咆哮声和小狼崽甜点心的嗷嗷求救声直往它耳孔里钻，刺得它心里隐隐作痛，感觉有点儿像当初大灰母狼在噬咬它的宝贝幼豺。

它不该这么想的，更不该有如此荒谬的感觉。它去年初冬没有在捕兽铁夹旁当场咬死甜点心，而是留下小家伙的性命，目的很明确，就是像留储备粮一样将小狼崽当作候补食物，准备养肥后饥荒时食用。如今小家伙已经断奶，嫩生生的童子狼，算得上是时鲜佳肴，它自己没勇气杀吃，让黑尾巴公豺来代劳，岂不是件好事情？再说，小狼崽甜点心已成了它生活的累赘，成了它追求幸福的一道障碍，黑尾巴公豺是在替它消除累赘拆毁障碍，它理应感到欣慰才对。还有，小狼崽甜点心的生母，那匹大灰母狼，残忍地杀害它的宝贝儿女，它送小狼崽甜点心上西天，怎么说也是正义的复仇。无论从哪个角度讲，它都不该有怜悯之心的啊！

它拼命替自己寻找见死不救的理由，以抗衡不断钻进耳朵里来的求救声。

黑尾巴公豺终于把小狼崽甜点心驱赶出大肚佛窟。

石洞外，传来黑尾巴公豺咬牙切齿的啸叫和小狼崽甜点心凄厉的号叫。从声音判断，杀戮已经开始。就好像遭遇了一条剧毒的眼镜王蛇，母豺火烧云害怕得浑身颤抖。小狼崽甜点心的每一声哀嚎都像锥子在扎它的心。不能冲动，要保持镇定，它告诫自己。它强迫自己躺卧下来，脑袋埋进臂弯，还用爪子将耳朵弯折过来盖住耳孔，希望能躲过让它心碎的杀戮声。可恼的是，杀戮声近在咫尺，离开洞口最多二三十米，清晰地传进石洞来，躲也躲不开。它恨黑尾巴公豺一点儿也不体谅它的心情，明明知道它不愿意看也不愿意知道小狼崽甜点心被咬杀的情景，却偏偏要在洞口附近实施杀戮，这不是存心要折磨它吗？难道你就不能把小家伙带远一点儿再做你该做的事？唉，算啦，忍一忍吧，再过几秒钟，当黑尾巴公豺进行致命的噬咬，当小狼崽甜点心发出最后一声撕心裂肺的惨叫，一切就会平静下来。它用超常的耐心等待着，希望事情赶快了结。可是，黑尾巴公豺汹汹的撕打声，小狼崽甜点心愤愤的啸叫声，此起彼伏，一阵响似一阵，不绝于耳。这是怎么搞的呀？虽说是豺狼相斗，但豺是身强力壮的大公豺，狼是断奶不久刚开始吃固体食物的小狼崽，毫无疑问，黑尾巴公豺占绝对优势，理应很轻松很方便很干脆很利索就能解决问题，怎么可能拖泥带水迟迟静不下来呢？撕扭声仍响个不停，它蹲在大肚佛窟里如坐针毡。它不想蹿出洞去看，可仿佛有一股强大的牵引力，迫使它身不由已往洞外去。

这一看，改变了它的生活，也改变了它的命运。

黑尾巴公豺也许是出于对狼的仇恨，也许是想报自己大腿内侧被咬伤的仇，也许是想找个活靶子练练搏杀本领，也许是想表现自己出众的捕猎技艺，也许是性格中具有某种虐待狂的倾向，竟然玩起猫捉老鼠的游戏。小狼崽甜点心已被仰面压翻在地，脆弱的喉管暴露在外，黑尾巴公豺明明可以一口解决问题的，却不去认真噬咬，而是伸出长长的血红的舌头，在小狼崽甜点心凸起的喉管上来回舔动。可怜的小狼崽甜点心恐惧得眼珠子鼓了出来，浑身战栗，发出难听的尖叫声。黑尾巴公豺脸上漾起狰狞的笑意，好像获得了极大的满足。不知怎么搞的，小家伙从黑尾巴公豺底下挣脱出来，往大肚佛窟逃来。小家伙已习惯把大肚佛窟当自己的家，对还未成年的幼小动物来说，家是安全的避难所。小家伙开始奔逃时，黑尾巴公豺并不急于追撵，豺脸上浮出讥讽的表情。当小家伙逃到离大肚佛窟仅有五六米远时，黑尾巴公豺突然威风地啸叫一声，闪电般蹿上来，把已差不多快逃到石洞口的小狼崽拦截住，又连撕带咬逼迫小家伙转身逃窜。在求生希望快要实现的最后一瞬间，让求生希望泡沫般的破灭，这无疑是最残酷的精神折磨。小家伙跌倒在地，不甘心就这样送掉性命，站起来还想奔逃。黑尾巴公豺高高跃起，把小家伙扑翻在地，却又不施展尖爪利齿进行撕咬，而是甩动那条墨黑油亮的尾巴灵巧地从小家伙身上跳开去。小家伙又顽强地站了起来，刚刚迈动小腿要跑，黑尾巴公豺又跳蹿起来把小家伙重重扑倒。一边是跌倒了，爬起来，再跌倒，再爬起；一边是扑倒了，跳离开，再扑倒，再跳离。

这杀戮游戏残忍得令豺发指。

母豺火烧云实在看不下去了。不错，豺是茹毛饮血的食肉兽，一生都在从事血腥的杀戮工作。然而，豺杀生是为了确保自己能活下去。从这个意义上说，豺进行猎杀剥夺其他动物的生命是无可厚非的。但豺不是杀生狂魔，不应该把杀戮当作一种消遣娱乐。更让它难受的是，小狼崽甜点心每一次从黑尾巴公豺爪下逃脱，都急急忙忙往大肚佛窟奔逃，从来不会换一个角度往其他方向逃命。在小家伙的心目中，早已把大肚佛窟看作是真正的家，危难时刻第一个反应就是往家跑寻求家的庇护。它当然晓得，对还未成年的幼小动物来说，有娘才有家，娘就是温馨的家，家就是慈祥的娘，家和娘是同一个概念。也就是说，小狼崽甜点心把它视为可以救命的亲娘，大祸临头仍怀着坚定信念，死到临头也不肯悔悟。而它，却在黑尾巴公豺的感情勒索下，默许黑尾巴公豺把小家伙当婚宴享用。情感的巨大反差，让它羞愧让它汗颜也让它的心隐隐作痛。假如黑尾巴公豺以迅雷不及掩耳之势解决问题，让小狼崽甜点心死得毫无痛苦，那它也许还能容忍；如此折磨小家伙，它无论如何也不能接受。小家伙毕竟是吃它的奶长大的，它不希望小家伙临死前还要受痛苦。它觉得黑尾巴公豺轻佻的表情和戏弄的动作，不仅毫无必要，还亵渎了它的感情。是可忍，孰不可忍。

它站在洞口，目睹黑尾巴公豺施暴，心中的怒火迅速积聚。

小狼崽甜点心已看见它了，拼命想冲开黑尾巴公豺的拦截跑到它身边来。这是求生的本能，也是对母爱无条件的信赖。黑尾巴公豺大概从它喷火的怒目中看出事情有点儿不大对劲，便想停止猫捉老鼠的死亡游戏，猛地按翻小狼崽甜点心，张嘴欲咬小家伙的腿。俗话说拆零件，黑尾巴公豺要活生生将小家伙大卸八块。母豺火烧云心中犹如岩浆奔突，再也无法容忍，终于火山爆发了，嗖地飞蹿过去，砰的一声，从背后将黑尾巴公豺撞翻开去。黑尾巴公豺没有防备，摔了一个大跟斗，跌了一个嘴啃泥。黑尾巴公豺爬起来，抖抖身上的沙土草屑，惊讶的眼光直愣愣地望着它，好像在看一个不可理喻的怪物。骤然间，黑尾巴公豺阴阳怪气地啸叫起来，讽刺、挖苦、嘲弄、指责，继而又愤怒地咆哮，蛮横地喝令它让开。

这顿婚宴还没尝到滋味呢，黑尾巴公豺当然不肯善罢甘休。

母豺火烧云用身体挡住小狼崽甜点心，颈毛耸立尾巴平举磨牙霍霍，摆出一副典型的母兽护崽的姿势，目光坚定无所畏惧，显示它为了保护小家伙不惜粉身碎骨的决心。

这里没有你要的婚宴，只有随时准备与你同归于尽的母亲！

小狼崽甜点心得到母豺火烧云的庇护，胆气回升，很快恢复狼勇敢的本性，号叫着从母豺火烧云背后蹿出来，也摆开一副撕打的架势。

豺这种动物，雄性和雌性在体格上虽有差别，但差别并不太显著，不像雄狮与雌狮、公野猪与母野猪的差别那么巨大。换一句话说，公豺身体虽然比母豺健壮些，但仅仅是健壮一些而已，力量上并不占据压倒性的优势。

豺是聪明的动物，会审时度势，会权衡利弊。黑尾巴公豺晓得，自己假如不顾一切冲上去噬咬，面对一只母豺和一只小狼崽，恐怕是占不到什么便宜的。唯一明智的选择就是离开这儿，避免一场可能对自己不利的争斗。哼，此处不留爷，自有留爷处。黑尾巴公豺悻悻地长啸一声，收敛起攻击的姿势，转身朝荒野小跑而去。

母豺火烧云明白，爱情擦肩而过，从它身边匆匆溜走了。它不明白自己为何要犯傻，为了一只小狼崽而惹黑尾巴公豺生气。它这样做值得吗？它这样做是不是太不理智了？这世界，好公豺打着灯笼也难找啊！

小狼崽甜点心受了惊吓，在它怀里呜呜呦呦地哭诉撒娇。它查验了一下，小家伙并没受什么伤，只是被抓破一点儿皮，被咬掉几撮毛。

黑尾巴公豺跑出去一段路后，脚步放慢，仍在石洞周围转悠，频频回头朝它张望，发出一串串委屈的啸叫，投来一串串如怨如诉又含情脉脉的目光。

母豺火烧云晓得，黑尾巴公豺是在等待它回心转意，是在等待它发出挽留的啸叫。只要它咬死或抛弃小狼崽甜点心，黑尾巴公豺就会同它言归于好。它有了黑尾巴公豺的陪伴，生活便不再孤独寂寞。到了夏天，它会生出一窝小宝贝来，纯粹的豺种，它的亲骨肉。它想，它应该拯救这场婚姻，别做伤害对方又对不起自己的傻事。它望着黑尾巴公豺的背影，很想发出赔礼道歉式的啸叫，重新连接起缠绵的情丝。那叫声已涌到了喉咙口，可是，心里头总有一种更强烈更神圣更舍不得割舍的感情阻止它叫出声来。它怔怔地站在那儿，理智与感情分裂成两股互相对立的力量，它的心也快破碎成两半了。

就在它犹犹豫豫不晓得该怎么办时，黑尾巴公豺走远了。在荒草掩映的山道上，身影越来越小越来越模糊，终于拐了个弯倏地不见了。留下无限惆怅，留下一笔沉重的情债。

它干吗要因为小狼崽甜点心葬送自己美好的未来？母豺火烧云无缘无故地发起火来，很凶地将小狼崽甜点心从怀里踢蹬出去。小家伙皮球似的打了个滚，仍往它怀里钻。它凶神恶煞般做出噬咬的姿态，小家伙还是黏到它身边来，好像宁可被它咬死，也要死在它的怀里。它又心软了，把小家伙搂在怀里。

生活啊，像团乱麻。它的脑袋也像团乱麻，扯不断理还乱。

第九章　捕猎惊魂

时光如白驹过隙，转眼到了春末夏初。小狼崽甜点心长得很快，无论身长还是身高都和一只成年豺差不多大了。望着一天天长大的小狼崽甜点心，母豺火烧云心里就像打翻了五味瓶，酸甜苦辣什么滋味都有。小狼崽甜点心是吃它的奶长大的，小家伙皮毛油光水滑，发育良好，活泼健康，它心里头油然产生了自豪感，体验到成功母亲的喜悦。可再一想，自己是在替豺的冤家对头——恶狼抚养后代，心里又有一种罪恶感。那是在为竞争对手培养接班“人”啊，小家伙长得越健壮，自己的罪孽似乎也就越深重。

豺和狼同属于犬科动物，某些生理规律是相同的。按豺的育幼时间表，半岁龄的幼豺该跟随成年豺外出狩猎，锻炼耐力增强体质，熟悉环境了解地形，观摩成年豺的打猎技巧，学习丛林生活的经验。狼基本上也是按这张无形的育幼时间表培养后代的。小狼崽甜点心到了该学习狩猎技巧和生存本领的年龄了，每天早晨一看见母豺火烧云出门猎食，便吵闹着要跟它一起外出。母豺火烧云很是犹豫，教会小狼崽甜点心狩猎本领，等于培养了一个强大的竞争对手，将来它和其他豺也就多了一份生存压力；但若不带小狼崽甜点心外出狩猎，错过了最重要的学习阶段，小家伙将来就会变成生存技能不足的低能儿，它好像又舍不得这样。

唉，单独在外觅食，也怪冷清寂寞的，让小家伙在身边陪伴，至少可以热闹点儿嘛。

那天下午，母豺火烧云带着小狼崽甜点心到一条箐沟去捉豪猪。

豪猪又名箭猪，浑身长满箭刺，稍不留意便会被扎伤爪掌或嘴腔，轻则发炎化脓，重则因不能奔跑和吞咽而活活饿死。所以，豪猪虽然动作笨拙很容易被发现，豪猪肉虽然细腻甜美，却很少有食肉动物去捕捉它。就像人类拼死吃河豚一样，食肉兽吃豪猪也要冒很大风险。大自然一物克一物，有矛就有盾，有盾就有矛。唯独豺有办法制服浑身是刺的豪猪。豺发现豪猪后，先对着豪猪耳朵恶声恶气地啸叫，豪猪必然会害怕得将身体卷成球状，撑开箭刺。聪明的豺就到附近咬一根树枝来，利用枝叶勾住箭刺，就像拖拉一只会滚动的球一样，将豪猪拖到悬崖边，推下悬崖去。球状豪猪从高高的峭壁上跌滚下去，箭刺折断，呜呼哀哉，豺绕下悬崖去，便可享用这难得的美味佳肴。

制造工具并非人类专利，许多高等动物也会制造简单的工具。

母豺火烧云来到一块灌木茂盛的山坡，嗅嗅闻闻，从混杂着野花芳香、泥土腥味和各种野兽粪便的味道中仔细寻找豪猪那股特殊气味。哦，那座马鞍形岩石底下深绿色的青苔上有一道明显的擦痕，散发出一丝豪猪的体臭。气味虽然很淡，却很新鲜，闻得出来这只豪猪经过这儿不久，还闻得出这是一只个头硕大体态肥壮的豪猪，大约有三十多斤重。假如能成功擒获这只豪猪的话，它和小狼崽甜点心两天的食物问题就解决了。豪猪有个奇特的习性，外出觅食时走哪条路，吃饱东西后必定按原路返回。它蹲在岩石后面等待豪猪出现。

小狼崽甜点心正是好动的年龄，生性淘气，当然不肯静静地埋伏在岩石后面，一会儿就不耐烦了，眼珠子骨碌骨碌转动，颠颠地跑开去，钻进草丛用稚嫩的爪牙去捉低飞的蝴蝶。

幼崽都喜欢玩，在游戏中发泄过剩的精力，在游戏中演练将来的生活。

豪猪迟迟未能出现。捉豪猪最重要的就是耐心，有时候要干等四五个小时，等到太阳快落山时豪猪才会姗姗来迟。

荒野静悄悄的，只有小狼崽甜点心扑蝴蝶轻微的跳跃声。突然，母豺火烧云听到身后的草丛有咝咝声响。它听觉灵敏，丛林生活经验也很丰富，觉得这声响有点儿异样，绝不是小家伙游戏时发出的响动，也不是豪猪走动时沙沙沙的脚步声。这声响很阴险，还能闻到一股冷血动物的腥味。带幼崽的母兽在野外警觉性很高，它心里咯噔了一下，立刻站起来奔到草丛前探头张望。不好，茂密的草叶间盘着一条眼镜蛇，足有两米多长。蛇皮上一道道深褐色斑纹，蛇身体上半截立起下半截盘起，蛇脖子鼓得扁平，露出一对让所有动物都感到恐惧的眼镜状图案。血红的舌头有节奏地吞吐着，发出咝咝声。在眼镜蛇前方约两米，小狼崽甜点心正在起劲地追逐一只灿烂的金凤蝶，玩得忘乎所以，根本没意识到死神已悄悄逼近。眼镜蛇扁平的脑袋随着目标的移动而左右摆荡，蛇的下半身慢慢拧成麻花状，这表明眼镜蛇已准备对目标实施攻击。

母豺火烧云曾领教过眼镜蛇的厉害，有一次，也是春末夏初季节，它在尕玛尔草原遇到一群野驴。对豺来说，野驴肉是很难吃到的山珍野味，它流着口水追了一程，遗憾的是这群野驴中没有老弱病残，清一色奔跑如飞的青壮

年。它望尘莫及，眼瞅着野驴群越跑越远，再追下去也是白搭，只能是浪费自己宝贵的体力，便知趣地停了下来。就在它已决定放弃追捕时，前头百米开外正在奔逃的野驴群中，一匹长着灰白鬃毛的公野驴突然蹦跶三尺高，咴儿咴儿嘶鸣，随后驴脚高驴脚低，像踩着了火炭一样，跳起奇形怪状的野驴舞蹈。其他野驴跑远了，灰白鬃毛公野驴还在原地旋转跃蹿。它跑过去，到了灰白鬃毛公野驴身边，这家伙仍在大汗淋漓地蹦跶，一双驴眼翻白，两片驴唇错位，长长的驴脸扭曲变形，显得很痛苦的样子。开始它以为这匹野驴是得了急病，癫痫发作或神经错乱什么的，后来发现旁边草地上有一窝被踩得稀巴烂的蛇卵，几米外一丛含羞草旁还盘踞着一条眼镜蛇。过了约两三分钟，灰白鬃毛公野驴轰的一声倒在地上，四肢抽搐，口吐白沫，不醒驴事。它仔细一看，一头驴前腿上有两个出血点，伤口极小，四周一片青紫的淤血。不难判断，野驴群奔逃时，刚巧遇上正在草丛产卵的眼镜蛇，上百只驴蹄乱踩乱踏，眼镜蛇在急雨般落下来的驴蹄间不知所措，该这灰白鬃毛公野驴倒霉，不偏不倚，刚好一蹄子踩在蛇卵上。眼镜蛇勃然大怒，飙飞起来，在肇事的驴腿上狠狠咬了一口。哈，大自然神奇造化，让母豺火烧云捡了个大便宜。它在垂死挣扎的公野驴身上撕下一片肉来，刚刚吞下肚去，便觉得不对劲，就像被卷进怒江旋涡一样，天旋地转，眼冒金星，赶紧嚼咬又苦又涩的艾蒿，把吞进去的野驴肉呕吐出来，这才避免连锁中毒，保住了自己性命。

眼镜蛇毒性极猛，即使吃被眼镜蛇咬过的食物，也会出现中毒症状。

母豺火烧云本能地想叫唤。时间上还来得及，小狼崽甜点心与眼镜蛇相距有两米，眼镜蛇下半部身体还没完全扭成麻花状，这个时候它发出报警的啸叫，小狼崽甜点心只要斜刺蹿跳几步，就能逃出危险区域。它的嘴已经半张开，报警的啸叫声已经涌到喉咙口，即将从唇齿间爆响，可突然间，它脑子里闪过一个念头：此时缄默不出声，也许是更为明智的选择。小狼崽甜点心一天天长大，现在已经同它一般大小，用不了多久，就会长成一匹标准雌狼。狼的智商不亚于豺，小家伙现在还把它当妈妈，长大后明白事理了，总有一天会发现它只不过是充当养母的豺，那时该如何是好？狼和豺是不可能长久生活在一起的，小狼崽甜点心总有一天会幡然醒悟，或者把它当作可食之餐咬杀。就算小家伙是匹讲良心的好狼，感念它的养育之恩，网开一面不对它下毒手，它自己也没有胆量天天厮守在一匹大雌狼身旁。要避免这样的结局，最好的办法就是在小家伙长到有力量反抗前，一口咬杀了当点心吃掉。可它试过好几次了，总是在最后一秒钟被无端的柔情束缚住手脚，不忍心去这么做。杀又舍不得杀，留着又担心留出祸患来，真是左右为难。它想，要是让眼镜蛇咬死小狼崽甜点心，倒是自然而然地解决了这道生活大难题。它主观上没有要害小狼崽甜点心，这纯粹是一个意外的事故，纯粹是个偶然的不幸，丛林里这种意外的事故和偶然的不幸每天都会发生，不足为奇。它只要装着没看见就行了。盘踞在草丛中的毒蛇，本来就很难发现的。要怪也只能怪小家伙命不好，生辰八字上就有夭折之灾，命中注定会撞上天煞星般的眼镜蛇。所以它不必受良心谴责，也不必承担感情罪责。再等几秒钟，眼镜蛇身体下部分完全扭成麻花状，闪电般飙飞，像根彩色围巾一样缠绕在小狼崽甜点心脖子上，一了百了，最大的生活难题就迎刃而解了。这办法确实不错，小家伙在懵然无知的情况下遭到致命噬咬，心灵不会有什么创痛。眼镜蛇毒发作得极快，肉体上的痛苦也是很短暂的，最多半分钟左右便会全身麻痹，继而窒息死亡。这比由它亲自动手来咬杀小狼崽甜点心肯定要好多了。小狼崽甜点心虽然仅有半岁，但身体已同它差不多大小，它无论采取何种偷袭手段，都不可能在极短的瞬间将其咬得失去知觉，不仅会延长小家伙肉体上的痛苦，还会给小家伙造成巨大的心灵创伤。

尽量减少小家伙死亡前的痛苦，最好是让它在不知不觉中离开这个世界，这是母豺火烧云一贯的心愿。

可不知为什么，眼镜蛇脖子摇摇晃晃，它的心也跟着摇摇晃晃。好像身体已经不听大脑指挥，它突然产生一种抑制不住的冲动，仿佛前面这条眼镜蛇是它不共戴天的仇敌，很想蹿上去死死咬住扁平的蛇脖子。它告诫自己，豺对蛇毒没有任何免疫力，眼镜蛇毒性可不是闹着玩的，一旦被咬，绝无生还的可能。为了救一只小狼崽，命丧黄泉，那也太不划算了。隔着疏散的草叶，它目不转睛地盯着与自己相距仅一米半的眼镜蛇。它发现，眼镜蛇身体下部分已完全扭成麻花状，扁平的脖子也弯成弓形，预示着即将展开致命的攻击。

小狼崽甜点心成功地用身体扑住金凤蝶，正小心翼翼地用爪子在自己腹部掏挖战利品。

母豺火烧云明白，此时此刻，它发出报警的啸叫已无济于事，不不，反而会害了小狼崽甜点心。一般来说，蛇都是近视眼，靠额部的热感应器来定位攻击目标。当目标静止不动时，蛇身上的热感应器没有反应，蛇会因此失去方向感，也就不会展开攻击；一旦目标移动，灵敏的热感应器接收到信号，蛇就有了准确的方向感，就会蹿上来噬咬。现在小狼崽趴在地上掏身体底下的金凤蝶，处于相对静止状态，眼镜蛇也就暂时无所作为；但假如它发出报警声，小狼崽甜点心听到警报后仓皇逃窜，眼镜蛇就会在同一瞬间飙飞起来，毒牙无情地刺进小家伙的身体去。

现在要想救小家伙脱离险境，唯一的办法就是抢在眼镜蛇飙飞前从背后突然扑上去咬住蛇脖子。它虽然是只具备相当丛林生活经验的成年豺，也曾猎杀过蛇类，但都是些小型无毒蛇，还从未捕捉过毒蛇，更别说大型剧毒的眼镜蛇了，其危险程度不亚于虎口拔牙，它没有任何赢的把握。袖手旁观还是扑咬救援，它心里很矛盾。

不知怎么搞的，小狼崽甜点心似乎感觉到眼前有什么东西在晃动，猛地抬起头来，立刻吓得目瞪口呆。小家伙肯定还是头一次见到眼镜蛇，但许多动物对软乎乎滑溜溜花花绿绿的毒蛇都有一种本能的恐惧，尤其是脖颈长着一对眼镜状环斑的眼镜蛇，一映入眼帘就会感到头皮发麻，不用提醒就会想到要远而避之。小家伙假如就这样纹丝不动地趴在地上，倒是可以躲过眼前这场劫难，但这是不可能的。小家伙还很嫩，根本不具备躲避毒蛇攻击的经验，最初的惊骇后，必定会产生逃窜的念头。果然如此，小狼崽甜点心目瞪口呆约有十来秒钟，直愣愣的眼珠子便开始转动，窥探逃跑的方向，狼腰渐渐弓了起来，四肢也暗暗积攒力量，随时都有可能号叫一声跳起来不顾一切地逃窜。

眼镜蛇嘴巴已经张开，露出上颚两枚钩状蛇牙，牙尖细小的针孔凝聚亮晶晶的液体，那就是威力无比能毁灭一切生灵的毒涎。看得出来，这家伙已处在一触即发的攻击状态。

这非常危险，甜点心稍一动弹，眼镜蛇就会毫不犹豫地朝目标飙飞过来。用“飙飞”这个词来形容眼镜蛇的攻击速度，是再恰当不过的了。整个蛇身体只有尾巴支立地面，凌空而起，在零点零三秒的极短瞬间，蛇牙就已准确咬中猎物了。别说四条腿的狼崽了，就是敏捷的太阳鸟，以每小时一百五十公里的速度从眼镜蛇面前飞掠而过，眼镜蛇也能靠速度的优势，一口将太阳鸟咬在嘴里。可以这么说，在有效的攻击距离内，在已摆开噬咬姿态的眼镜蛇面前，即使给小狼崽甜点心插上一对翅膀，也绝无逃生的可能。

母豺火烧云已没有时间多加考虑，似乎有一只巨手在背后猛推了它一把，它嗖地朝眼镜蛇扑蹿过去。好险哪，就在它起跳的同时，小狼崽甜点心也斜刺蹿了出去逃命。在甜点心身体动弹的刹那间，眼镜蛇脖颈后仰，长长的身体朝甜点心飙飞过去。就在这同一瞬间，它已从背后咬住眼镜蛇的脖子。

假如它迟扑半秒钟，小狼崽甜点心命已休矣。

一只豺和一条眼镜蛇在草地上翻滚扭打。

母豺火烧云没想到，眼镜蛇的力气这么大，蛇尾在地上猛烈拍打，它四只豺爪根本站立不住，很快就被掀翻在地。长长的蛇身呼啦在它身体上缠绕了两圈，勒住它的脖子和胸脯。蛇的缠勒比它想象的还要厉害，一点儿一点儿收紧，勒得它胸口发闷，豺脖也像套上绞索一样，呼吸变得极其困难。它忍不住想张大嘴畅快呼吸，可它虽然被眼镜蛇勒得快要窒息，脑袋却还保持清醒。它明白，自己只要稍稍松开嘴，眼镜蛇的脖子就会从它尖利的豺牙间挣脱出来。一旦蛇头获得自由，蛇牙便会闪电般咬住它的身体，它就会变成蛇的食物。紧紧咬住蛇的脖子，是它获救的唯一希望。不管眼镜蛇如何缠住它的身体甩打它，它都死死咬住蛇的脖子，不敢有丝毫松懈。

蛇脖子俗称“蛇七寸”，是蛇身体上的致命部位。眼镜蛇脖子被豺牙卡住，欲咬不能，只有拼命收缩脊椎和肌肉，加紧施展蛇最拿手的缠勒战术。

母豺火烧云只觉得胸口越来越堵得慌，肋骨咯吱咯吱响，五脏六腑也被挤压得疼痛难忍，有一种想要呕吐的感觉。脑袋昏昏沉沉，只有一个信念还支撑着它：只要还有一口气，就要咬紧牙关，决不能让滑腻腻的蛇脖子从它豺嘴里溜脱。

一番殊死搏斗，一场你死我活的较量。

再说小狼崽甜点心，本来已斜刺蹿逃出去，看见母豺火烧云与眼镜蛇翻滚扭打，立刻胆气回升，全身狼毛耸立，号叫着朝眼镜蛇冲过来。小家伙缺乏与蛇周旋的经验，正面对着蛇脸。初生狼崽不怕蛇，胆子大得出奇，在眼镜蛇面前跃跃欲扑。这非常危险。眼镜蛇不同于一般毒蛇，一般毒蛇只有将针管似的毒牙刺进猎物身体后，才会注射毒液，而眼镜蛇不仅在噬咬过程中释放毒液，还会像喷水枪一样朝猎物喷射毒液，喷射距离可达两三米远。一旦被眼镜蛇的毒涎喷射中，除非老天爷突然下暴雨给猎物来场免费的天然淋浴，或者猎物及时跳进江河湖泊赶紧洗个澡，不然的话，那晶莹透明的毒涎立刻就会腐蚀兽毛和皮肤，比火焰烧在身上更灼痛。尤其可怕的是，那毒涎还会顺着血液深入骨髓，使猎物因神经中毒而麻痹抽搐，最终导致死亡。

此时此刻，晴空万里，老天爷没有要下雨的意思，箐沟附近也没有可供洗澡的水塘。

母豺火烧云一面紧咬着蛇脖子，一面注意观察眼镜蛇的举动。那蛇嘴越张越大，粉红色上颚那两枚针管状的毒牙翘升到水平位置，叉状舌快速伸缩颤动，这是即将喷射毒涎的先兆。小狼崽甜点心对危险懵然无知，仍在眼镜蛇头正前方号叫跃动。这么近的距离，这么正的角度，毫无疑问，眼镜蛇只要喷射毒涎，百分之百能准确射在小狼崽甜点心身上，后果不堪设想。母豺火烧云猛烈踢蹬脚爪，迫使眼镜蛇在地上打了个滚。老天保佑，就在眼镜蛇打滚的瞬间，蛇嘴飞出一片亮晶晶的毒涎，喷射落空，从小狼崽甜点心左侧擦身而过。

那片亮晶晶的毒涎喷出两三米远，在空中划出一道漂亮的弧线，落进草丛。说来也巧，刚好有一只刺猬蜷缩在灌木丛里，那毒涎不偏不倚落在了那只倒霉的刺猬身上。最多五六秒钟的时间，卷成球状静静蹲在灌木丛里的刺猬突然像掉进热油锅一样，倏地蹦跳起来，吱吱惨烈地尖叫着，也不怕近在咫尺的豺、狼和眼镜蛇，从隐秘的灌木丛蹿出来，像只无头苍蝇似的在草地上蹒跚转圈，都差一点儿撞到小狼崽甜点心身上来了。

小狼崽甜点心瞪大眼睛，惊讶地望着发神经病的刺猬，灵活地跳闪着，躲开刺猬的胡冲乱撞。

最多两分钟时间，那只可怜的刺猬便肚子朝天躺倒在地，四肢剧烈抽搐，嘴角就像螃蟹吐泡泡一样涌出许多白沫来，叫声渐渐衰微，已差不多要跨进死亡门槛了。

小狼崽若有所思地眨动眼珠子，围着垂死挣扎的刺猬转了一圈，似乎在探究这只刺猬神秘死亡的缘由。

这时候，母豺火烧云与眼镜蛇的格斗已进入僵持阶段，双方都在激烈的扭打中消耗了大量体力，都已精疲力竭，难以向对方发起新的攻势。母豺火烧云虽然咬住了蛇的七寸，但豺牙没能卡在扁平蛇脖子最致命的中央部位，而是卡在偏左位置。虽然有效钳制住蛇头使蛇牙无法噬咬到它身上，却不能在短时间内置眼镜蛇于死地。同样，眼镜蛇虽然紧紧缠勒住母豺火烧云，勒得母豺火烧云胸闷气短，但它的力量已发挥到了极限，无法很快将母豺火烧云活活勒死。可以这么说，双方都已危在旦夕，双方都已濒临死亡，就看谁能坚持到最后。无论是眼镜蛇还是豺，只要有一方求生意志崩溃放弃抗争，另一方就能转危为安取得最后胜利。

这是一场奇特的比慢比赛，看谁能更慢一点儿耗尽体能，看谁能更慢一点儿生命衰竭，只要能比对方慢半拍投入死神怀抱，那便是最后的赢家。

母豺火烧云非常清楚自己的处境，生存还是毁灭，各有百分之五十的可能。它当然有强烈的求生欲望，只要一息尚存它是不会放弃这场殊死搏杀的。但是，眼镜蛇的求生欲望丝毫不比它逊色，也同样抱有生命不息战斗不止的决心。双方不仅身体力量处在僵持平衡状态，精神力量也处于不相上下的僵持平衡状态。它胸部的疼痛越来越厉害，喘息也越来越艰难，脑子也因缺氧而发生短暂晕眩。它明白，自己能坚持的时间已不多了。

小狼崽甜点心再度号叫着冲了上来。这一次，它没有傻乎乎地冲到眼镜蛇的正面来，而是绕到眼镜蛇的尾巴处，撕咬眼镜蛇的尾巴。

多聪明的小家伙，这么快就从刺猬中毒身亡的事件中吸取了教训，晓得应该避开眼镜蛇喷射的毒涎，积累了对付剧毒眼镜蛇的经验，将来一定是了不起的一流猎手。

小家伙抓住了眼镜蛇的尾巴，发狠地撕扯啃咬。可惜，它的狼爪还很稚嫩，狼牙也不够老辣，虽然拼命撕扯，却无法撕破滑溜溜的蛇皮，虽然狠命噬咬，也只能在蛇尾上咬出斑斑点点的小窟窿。

蛇尾是蛇身上最次要的部位，攻击蛇尾是吃力不讨好的事情。即使把蛇尾整个撕烂咬断，也不能对眼镜蛇造成致命伤害。

唉，小家伙初出茅庐，终究还是狩猎场上的新手，缺乏与毒蛇搏杀的经验。

当然，蛇尾遭咬，疼痛的感觉还是有的。眼镜蛇本来像绳索似的在母豺火烧云身上缠了两圈半，现在将最后半圈松开了，尾尖甩动着，竭力躲避小狼崽甜点心的撕咬。

由于眼镜蛇转移了部分注意力，这么一来，客观上就放松了对母豺火烧云的缠勒。母豺火烧云胸部的灼痛减轻了些，窒息的感觉似乎也有所缓解，勇气和信心陡然增加。

眼镜蛇半截尾巴盘成圆圈，拖拽到左侧几块碎石下，似乎不堪忍受小狼崽甜点心的折磨，想把蛇尾藏进碎石底下去。小狼崽甜点心当然不肯善罢甘休，号叫着朝蛇尾扑追过来。突然，那半截有气无力盘成圆圈的蛇尾灵动地抻直，骤然间猛烈劈打过来，就像结实的皮鞭或粗硕的肉棍，啪的一声，重重打在小狼崽甜点心的脖子上。那蛇尾甩打的力量很大，小狼崽甜点心被扫出一米多远，摔了个四仰八叉。

这真是一条狡猾透顶的眼镜蛇，连尾巴都会玩坑蒙拐骗的花样。

小狼崽甜点心在地上打了个滚翻爬起来，又张牙舞爪地朝蛇尾扑了过来。那蛇尾仿佛长了眼睛似的，它才挨近，蛇尾就蹦弹扫荡过来，比上一次打得更厉害。尾尖砸在它的耳根上。甜点心跌了一大跤，脑袋被打得晕晕乎乎，爬起来后，走路都摇摇晃晃，可还是号叫着，不顾一切朝蛇尾冲过来。那眼镜蛇真是一条蛇精蛇魔，又抡起半截蛇尾抽打在小狼崽甜点心腿上，把小家伙抽得腾空摔倒。刚巧旁边有一块裸露出地面的岩石，小狼崽甜点心一头撞在岩石上，似乎撞得不轻，挣扎了好一阵才翻爬起来，脖子也撞歪了，眼睛也发直了，步履蹒跚就像喝醉了酒，方向感似乎也出了问题，东跑两步，又西奔三步，歪歪扭扭跌跌撞撞。可它仍保持着一股扑咬气势，顽强地朝蛇尾冲过来。

真是个勇敢的小家伙，母豺火烧云心里涌起一股暖流。就算是凶猛的成年食肉兽，在连续受到几次打击后，锐气也会遭到重创，没有胆量再继续进攻了。小家伙却跌倒了爬起来，再跌倒再爬起来。为了给它解围，为了亲爱的妈妈不给毒蛇勒毙，不畏强暴，敢拼敢斗。哦，它算是没有白养小家伙一场。

眼镜蛇尾巴大幅度抡甩了几次，把最后一点儿力气也耗尽了。那半截蛇尾虽然仍做出劈打动作，却有气无力萎软如绵。小狼崽甜点心终于抱住蛇尾，使出吃奶的力气撕咬起来。

一豺一狼扭住眼镜蛇搏杀，眼镜蛇明显处于劣势，心慌意乱在草地上翻滚。这时，眼镜蛇又犯了一个错误——本来蛇身体在母豺火烧云身上缠勒了两圈，也许是忍受不了尾巴火烧火燎般的疼痛，它竟然将缠勒在母豺火烧云身上的蛇身松弛开一圈，去套缚小狼崽甜点心。眼镜蛇确实把小狼崽甜点心给缠绕住了，勒得小家伙眼珠翻白，连叫都叫不出声来。可是，母豺火烧云却像被松了绑似的，身体变得自由而轻松。它四只豺爪紧紧抠住眼镜蛇柔软的腹部，瞅准时机，突然松开豺嘴，当滑腻腻的蛇脖子企图从豺牙间溜走时，又照准蛇脖中央部位猛地咬了下去，玩了个欲擒故纵的把戏。这一次，它咬得又狠又准，尖利的豺牙卡在蛇的后脑勺与蛇脖子的交汇点上，这是蛇身上最致命的部位。眼镜蛇嘴张得老大，玻璃珠似的蛇眼仿佛要从眼眶里掉出来了，垂死蠕动了一阵，便像根烂草绳似的躺倒不动了。

母豺和幼狼齐心协力，终于咬死了凶暴的眼镜蛇。

小狼崽甜点心抖抖凌乱的狼毛，抬起尖尖的嘴吻，仰天发出狼式长嚎，欢呼胜利。

哦，眼镜蛇除了蛇头和内脏不能吃，蛇皮、蛇肉和蛇骨都是难得的美味佳肴，并不比豪猪肉差。不用再费力去捕捉豪猪了，母豺火烧云和小狼崽甜点心津津有味地享用眼镜蛇大餐。这是它们首次合作狩猎，互相救援，成功猎杀了有“蛇中魔王”之称的眼镜蛇。

唉，要是甜点心不是小狼崽，而是自己亲生的豺女，那该有多好啊，生活就变得完美无缺了，母豺火烧云一边吃着鲜美的蛇肉一边这么想。

第十章　苦救狼崽

这天下午，母豺火烧云带领小狼崽甜点心到古纳河西岸狩猎，运气不错，刚转过S型河湾，就发现有一只红崖羊在河边饮水。

这是一只漂亮的红崖羊，头顶刚刚长出两寸长的犄角，皮毛艳红犹如山上的杜鹃花。一般来说，红崖羊习惯群居生活，以血缘为纽带，少则十几只一群，多则几十只一群，组成大家庭。可有个例外，雄性红崖羊头顶长出犄角后，会离群出走，过一至两年逍遥的单身汉日子，在荒野丛林闯荡，磨砺胆魄和意志，成为成熟健壮的雄红崖羊。显然，这只正在河边饮水的红崖羊，属于刚刚离群索居独立生活的年轻雄性。

这个年龄段的雄红崖羊，心高气傲却又缺乏生活经验，较易捕捉。

母豺火烧云与小狼崽甜点心从左右两路夹击这只红崖羊。甜点心首先蹿出树林，从正面佯攻，张牙舞爪，嗷嗷号叫，吸引红崖羊的注意力。火烧云悄悄绕到红崖羊背后，突然快速扑蹿过去，一口咬住羊腿。红崖羊形

体如小牛犊，力气很大，拼命蹦跶跳跃，从豺嘴挣脱出来，朝日曲卡山麓狂奔逃窜。

母豺火烧云和小狼崽甜点心尾随追击，在崎岖难行的日曲卡山麓里，展开一场生死角逐。

对眼前这场狩猎，火烧云信心十足。红崖羊虽然奔跑如飞，但豺与狼的追撵速度也是快如闪电。豺的特长就是长途追击，能一口气奔走十几公里，耐力比红崖羊要强一些。再说，红崖羊后腿被它咬了一口，虽只是轻微的皮肉伤，却也血肉模糊。可以想象，在激烈的奔跑运动中，那伤口会剧烈疼痛，并不断涌流鲜血，坚持不了多长时间，红崖羊就会因流血过多体衰力竭而瘫倒在地的。它已胜券在握，吃到香喷喷的羊肉大餐只是个时间问题了。

出于求生的本能，红崖羊一会儿钻进密密匝匝的灌木丛，一会儿攀登陡峭的绝壁，一会儿跳跃几丈深的山沟，企图将追撵者甩脱掉。可是，羊腿伤口的血滴在地上，成了最显眼的路标，母豺火烧云顺着鲜血路标追击，不会犯方向路线错误，紧盯着目标不放。

起先，小狼崽甜点心还能与母豺火烧云并肩追捕红崖羊。跑着跑着，甜点心渐渐落后，彼此拉开了一段距离。又追了一程，转过一道山岬，穿过两条荒沟，小家伙似乎越跑越慢，远远落到后面去了，依稀听得到细微的狼嚎声。

母豺火烧云当然不能为了等小家伙而停止追撵。多好的狩猎机会啊，让已经穷途末路的红崖羊逃之夭夭，前功尽弃，已到嘴边的羊肉大餐化为泡影，岂不让豺痛惜。

现在的首要问题，是要毫不松懈地穷追猛撵，尽快将猎物捕获，其他事情都是次要的，都可留待狩猎成功后再处理。

又追了两三公里，追到尕玛尔草原，母豺火烧云才把累得精疲力竭口吐白沫的红崖羊扑倒。猎杀没费多大劲，豺嘴叼住红崖羊的喉管，紧紧咬住不放，十来分钟后，猎物就窒息身亡了。追了这么长一段路程，它也累坏了，趴在猎物旁边，大口喘息着，等候小狼崽甜点心赶到，共同分享羊肉大餐。

左等右等，不见甜点心到来。侧耳谛听，山野寂静，听不到它熟悉的狼嚎声。爬上一座小山岗，登高望远，极目远眺，用目光将四周的山峦、树林、沟壑、草原和灌木丛都搜查了一遍，也不见小家伙的身影。它仰起脖子发出嘹亮的啸叫，叫唤了好几声，也听不到小家伙的应答。

夕阳西下，紫色的暮霭笼罩草原，天快要黑了，它不能再傻等下去。也许，小家伙因为跑得慢，半途丢失追踪目标，自己先回大肚佛窟去了，它想。它肚子饿了，咬开红崖羊肚皮，吞食羊心羊肝羊腰羊肠，热气腾腾的猎物内脏，是让豺垂涎三尺的上等美食。它很想大快朵颐，可不知怎么搞的，却吃得兴味索然，丝毫吃不出享用佳肴应有的快感来。哦，它已习惯与小狼崽甜点心共同进餐了，小家伙不在身边，再鲜美的食物也变得不怎么好吃了。

匆匆吞下羊的内脏后，它又咬下一条羊腿来，准备带回大肚佛窟喂小狼崽甜点心。随后，它把剩下的大半只红崖羊拖进茂密的树丛，藏在隐秘的树根下，并扒了一些落叶盖在猎物身上，以防被其他食肉兽偷窃。红崖羊有百十斤重，它没有这么大的力气将整只红崖羊带回家。这是豺独特的储存食物的方式，隔一两天肚子饿了，它会重新来到这里进食。

一切安排妥当，它叼起那支羊腿，翻山越岭急匆匆回大肚佛窟。它虽然走得很急，却走几百米便要停顿一下，放下嘴里的羊腿，发出两声豺啸，试试是否会在路上遇见小狼崽甜点心。遗憾的是，一路寻找都未有结果。

回到大肚佛窟，天已黑透。它期待着小家伙突然从黑暗中蹿出来，欢天喜地扑到它身上来撒娇。可是，它的期待落空了，大肚佛窟冷寂无声，不见小狼崽甜点心。它试探着叫了一声，只有石洞发出嗡嗡回响。它在洞口仔细嗅闻了一遍，也没闻到小家伙新鲜的气味。

小家伙没有自己跑回大肚佛窟来，小家伙在追捕红崖羊的过程中丢失了！

小家伙会到哪里去呢？是迷失方向找不到家了，还是路上遇到野兔，追逐猎物玩得太高兴了，忘了回家？哦，也许小家伙跟着它追捕红崖羊，跑得太累了，钻进被太阳晒得暖融融的草丛里睡着了。母豺火烧云趴在洞口，头朝外尾朝内，在黑夜中翘首期盼。

夜空星光灿烂，宝石蓝的天幕上，映照出山峰和大树清晰的剪影。几只萤火虫闪动黄色光点在草丛中飞舞，忽明忽暗，在沉闷的黑夜里画出活泼的线条。远处有猫头鹰在尖厉鸣叫。一只穿山甲从大肚佛窟前的灌木丛经过，传来树枝草茎被折断的声响。

母豺火烧云望眼欲穿，也不知等了多长时间，仍不见甜点心回来。

下弦月冉冉升起，已是下半夜了。夜风渐渐变得湿润，晨雾悄悄在山野弥散开来，离天亮已经不太远了。

母豺火烧云等得心焦，等得烦躁，等得窝火。这可恶的小狼崽，失踪了拉倒，不回家就算了，它犯不着为此而牵肠挂肚，它发狠地想。它其实早就打算把小家伙处理掉，一直苦于找不到合适的机会，好像感情上也很难下定决心将小家伙驱逐出家门。对方可是狼种，豺最危险的竞争对手，彼此不可能永远生活在一起，迟早是要分道扬镳的。现在小家伙失踪了，管它是迷路了还是贪玩走散了，无非是将来必定要发生的事情提前发生罢了。这没有什么不好，恰恰相反，是天赐良机，好得很哪。不是它故意要害小家伙的，也不是它耍手腕遗弃小家伙，是小家伙自己不回家，与它无关，它不用受良心谴责。

本来嘛，把一只小狼崽收养在身边，对豺来说就是一件荒唐透顶的事情，荒唐的闹剧结束了，它应该感到高兴才对。

它不再趴在洞口翘首等待，洞口会飘进雾水淋湿豺毛的。它站起来钻进温暖干燥的洞底，将嘴吻埋进臂弯，蒙头大睡。

睡它个心安理得，睡它个无忧无虑，睡它个无牵无挂！

奇怪的是，它辗转难眠，怎么也睡不着。躺在石板上，岩石太硬，硌得骨头疼；躺在枯枝败叶上，感觉又太软，浑身肌肉酸疼。它身上像有千百只蚂蚁在咬，难受得要命。它早已经习惯与小狼崽甜点心依偎入睡，大肚佛窟少了甜点心，便觉得格外冷清。寂寞的夜，枯燥的夜，毫无生趣的夜。唉，总有一种怅然若失的感觉，心里沉甸甸的。

它想，甜点心虽然身体已经长得与它差不多高大，但毕竟还是幼兽，还不到离家出走的年龄，还没有独立生活的能力。小家伙虽然贪玩，但自从被它收养后，从未离开过它，几分钟见不到它就会焦急地寻找。它还处于依赖阶段，主动出走的可能性不大。肯定是发生了意外，要么是在森林里迷路了，要么是遭遇到猛兽天敌的袭击。小家伙还不能单独猎食，要是迷了路，肯定会饿死的。要是遭遇猛兽天敌，受了伤，也会死的。它脑子里浮现出这样的情景：小狼崽甜点心一条腿被山豹咬伤了，浑身鲜血淋漓，哀哀号叫着，在漆黑的夜像游魂似的到处乱窜……

它再也躺不住了，一骨碌翻爬起来，冲出大肚佛窟。

它要找回失散的甜点心，这样它的心才会得到安宁。

借着朦胧的月光，母豺火烧云顺着追捕红崖羊的路线，一路搜索前行。荒野黑黢黢，许多路段月光被树冠遮断，黑夜浓得像化不开的墨。它一脚深一脚浅，连滚带爬地在山林里四处寻找。它的鼻吻贴着地面，嗅闻小家伙的气味。雾水太重，草叶上盖了一层露珠，稀释了气味，怎么闻也闻不出准确的线索来。它的耳朵竖得笔直，捕捉最细微的动静。老天不帮忙，刚巧又刮起风，树枝摇曳，漫山遍野都是沙啦沙啦树叶摩擦的声响，严重影响听觉侦察。

启明星升起来了，对面山峰传来锦鸡报晓声。母豺火烧云在追捕红崖羊的路线上已经走了一个来回，还是不见甜点心的踪影。它几乎绝望了。就在这时，它到了去往日曲卡山麓和尕玛尔草原的三岔路口，忽听得左侧有扑通扑通的声响，听起来像是有什么东西在跳动。它小心翼翼的靠拢过去，在草地上仔细闻了闻，依稀能闻到小狼崽甜点心的气味。它呦地轻啸一声，用声音进行探路。那扑通扑通的声响戛然而止，数秒钟后，爆发出一阵凄惨的哀嚎。嗓音有点儿沙哑，叫声有点儿发闷，距离也还隔得远，但它还是一听就听出来了，是小狼崽甜点心在叫唤！它一面继续轻柔啸叫，用彼此的叫声保持紧密联络，一面循声快步跑过去。

穿过一片灌木，小家伙的哀嚎声就在跟前了，可还是望不见小家伙的身影。它睁大豺眼找了又找，这才发现，草丛间地面上有个直径约一米半的地洞，小家伙的哀嚎声就是从地洞里传出来的。它跑过去，小心翼翼趴在洞边往下看，拂晓时分，晨光熹微，勉强能看清地洞内的情景。这是一个深约两米的圆洞，有点儿像淘金者废弃的简易水井，底下还有半尺深的积水。甜点心泡在齐腰深的污水里，水面露出脊梁、脖颈和脑袋。井壁光溜溜，没有可供攀爬的地方。小家伙浑身都是泥水，模样狼狈极了，见到它，呜呜哭嚎着，拼命朝上跳蹿。小家伙蹿高能力有限，每次都只蹿跳到一米多高时，就撞在井壁上，又掉落回井底，扑通，溅起一大朵浊浪。唉，别说是年幼力弱的未成年小狼崽，就算是身强力壮的成年狼，掉进两米来深的水井，也很难蹿跳出来的啊。

小家伙又蹿跳了两次，毫无例外都在半途上摔落下去。最后那次掉到井底后，小家伙前腿勉强支撑着站了起来，后腿却怎么挣扎也站不起来了，下半身泡在污水里，用嘶哑的嗓音气急败坏地号叫着。

母豺火烧云心里明白，留给小家伙的时间已经不多了。估算一下，小家伙掉到这口废弃的井里，起码也有十个小时。完全可以想象小家伙掉进去时的情景：起先，小家伙紧跟在它身后，与它一起追捕逃亡的红崖羊，追着追着，小家伙气力不支，慢慢落到后面。山野沟壑纵横植被茂密地形十分复杂，小家伙很快迷了路，心急如焚地到处乱窜，慌不择路，又临近黄昏，茂密的树丛里光线幽暗，水井四周野草萋萋，茂盛的草叶盖住了与地面平行的井口，小家伙狂奔乱跑，一脚踩空掉进水井，幸亏井不深，井底还有半尺深积水，没伤着筋骨，但却吓得魂飞魄散。小家伙肯定拼命号叫，指望它能及时赶来救助，可嗓子喊哑了，也不见它到来。小家伙孤独无援，就像关在暗无天日的水牢里，幸好是夏末季节，气温不算低，才没有被活活冻死。天渐渐黑了，小家伙不想在井里等死，只好硬着头皮往上蹿跳，指望能跳出苦海。小家伙使出吃奶的力气蹦跶跳跃，遗憾的是，再怎么努力，两只前爪离地面都还差着一大截。小家伙不甘心，一次又一次接连不断地蹿跳，最终还是被困在井底。无数次的跳跃，已使小家伙累得精疲力竭。无数次失败，极度恐惧，饥寒交迫，使小家伙的自信心受到严重挫败，精神已到了崩溃边缘。现在，小家伙已经很衰弱了，每一分钟都是非常宝贵的，必须尽快想办法把小家伙从井底救上来，不然的话，这口枯井便会成为小家伙的葬身之地。

母豺火烧云趴在井口，脑袋尽量往下探伸，缩短彼此的身体距离，也缩短彼此的心理距离，营造它就陪伴在小家伙身边的氛围，以消除它孤独无援的不良感觉。随后，它发出柔和亲切的叫声，那是在告诉小家伙，它决不会撇下小家伙不管的，它一定会设法把小家伙从井里救出来的，以宽慰小家伙的心。哦，还有一点也很重要，别再傻乎乎地蹿跳了，这只能徒劳损耗宝贵的体力，一点儿用处也没有！

保持安静，保持镇定，保存体力，你才有获救的希望。

虽然一方是豺，另一方是狼，但长久生活在一起，用叫声和形体动作构成的语言信息还是能够沟通的。小家伙慢慢镇静下来，躺卧在污水里，脑袋露出水面，喘息养神，等待它的救援。

母豺火烧云围着水井转圈，顺时针旋转，又逆时针旋转，紧张思索着救援方案。

水井其实并不很深，算不上是插翅难逃的地狱。假如能给小家伙安装一对翅膀的话，扑扇两下就能从井底飞出来。当然，这是不切实际的幻想，想得再美妙也于事无补。它也不能奋不顾身地跳到井里去，它跳下去并不能把小家伙救上来，反而会把自己也给葬送了，变成投井自尽的愚蠢行为。犬科动物不比灵长类动物，可以伸出手来抓住对方的手然后把落井者给拉上来，豺也不会使用绳索或其他工具进行救援。怎么办？怎么救？对它来说，确实是一道严峻的难题。都说豺狡猾，其实豺的智慧很有限，无法与两足行走的人媲美。它脑袋瓜都想得快要爆炸了，还没有想出可行的办法来。突然，也不知触动了哪根神经，它想起曾经目睹过的狐狸吃黑鲩的情景。

那是好几个月前的事情了，那天上午，它到古纳河边寻找食物。古纳河流到尕玛尔草原时，河床宽阔，两岸金黄的沙滩，还有形状各异的青褐色礁石。退潮时，会有鱼虾、螃蟹或鳖龟之类的水生动物搁浅在沙滩上，可以捡食充饥。正值退潮之际，它在沙滩上找了半天，运气太差，只找到两只杜鹃花瓣大的小螃蟹，刚够塞牙缝的。它有点儿沮丧，刚准备离开沙滩到尕玛尔草原去碰碰运气，突然听见旁边礁石丛里传来哗啦啦划水声。出于好奇，它跑过去瞧瞧。嚯，在一片奇形怪状的礁石间，有一个直径约八十厘米的窟窿，里头蓄满了河水，水底有一条大鱼在晃动。这是条黑鲩，足有半米多长。显然，在涨潮时，这条黑鲩顺着潮水游到这片沙滩玩耍觅食，一时疏忽大意，退潮时未能及时游回河里，搁浅在礁石窟窿里了。它肚子空瘪瘪，当然想捞起这条黑鲩来充饥。它试了试，水深起码也有八十厘米，豺爪根本捞不到。可恼的是，那黑鲩知道上面有食肉兽在打它的主意，沉到水底，静静潜伏在窟窿最底层的沙石上，再也不肯游上来。它看看窟窿形状，口大底小呈圆锥形，越往下越逼仄，贸然跳下去的话，很有可能会被卡在石头间无法动弹，变成落水鬼，吃不到鱼，反而变成鱼的食物。它等了一会儿，窟窿的水一点儿没减少，礁石的石质极佳，没有渗漏现象，甭指望等水渗漏后逮到这条黑鲩。再说，退潮已到了尽头，潮涨潮落，古纳河又开始悄悄涨潮了。最多一个小时，河水就会漫过这片礁石，如鱼得水，黑鲩就会脱离困境游回河中央去。它虽然心痒眼馋口水滴答，却只有悻悻朝着水底的黑鲩叫嚣数声，无可奈何地离开了。

当它爬到岸边的小山包时，看到一对赤狐从灌木丛蹿出来，背部艳红的皮毛在沙滩上格外显眼。雄狐两颊绒毛蓬松，很有点儿绅士派头；雌狐雪白的脸上眼珠子活泼转动，浮现出狐特有的媚态风情。这对夫妻狐先去河边饮水，然后踏着玫瑰色朝阳在沙滩游荡。狐嘴贴着地面嗅闻，狐耳颤抖扭动作谛听状。毫无疑问，也想捡食在沙滩上搁浅的水生小动物。

豺与狐在大自然这根食物链上不是猎食者与被猎食者的关系。豺虽然力量略胜狐，性情较之狐也更凶猛些，但不占压倒性的优势，更何况对方是一对夫妻狐，搏斗起来它丝毫也占不着便宜，所以母豺火烧云朝那对夫妻狐看了一眼之后，便准备继续走自己的路。

突然，那只媚态十足的雌狐呕呕欢叫起来，撒腿朝那片奇形怪状的礁石奔去。雄狐紧跟在雌狐后面。夫妻狐来到那条黑鲩搁浅的窟窿前，兴奋地跳跃啸叫。

母豺火烧云晓得，这对夫妻狐发现了黑鲩，为找到可食之餐而欢呼雀跃。出于一种想看笑话的心理，母豺火烧云在山包蹲坐下来。它想，这对夫妻狐肯定同它一样，惊喜—烦恼—失望—悻悻而退。它想看看它们因想不出捕捉黑鲩的办法而恼羞成怒的样子。

这是一种消遣，或者说是精神会餐，能让它心情愉快。

开始时，果然如它所料，这对夫妻狐高兴了半分钟后，便再也高兴不起来了。雄狐伸出爪子在礁石窟窿里掏挖，当然是水中捞月一场空。雌狐吮吸礁石窟窿里的水，大概以为把水喝干了，竭泽而渔，就能捉到黑鲩了，真是白日做梦，即使把肚皮喝炸了，也休想把礁石窟窿里的水喝干！这对夫妻狐抓耳挠腮开始犯愁了。哦，懊恼去吧，哦，沮丧去吧，看着狐狸不幸真是豺最美妙的精神享受。

母豺火烧云正为夫妻狐的窘境而哑然失笑时，突然，雄狐蹿下礁石，来到布满砾石的沙滩上，叼起一块拳头大的鹅卵石，又跳到礁石上，将鹅卵石扔进窟窿去。窟窿里立刻溢出一层水来。雌狐依法炮制，也上蹿下跳搬运鹅卵石。

开始时，母豺火烧云还没想通这对夫妻狐为何要往礁石窟窿里扔鹅卵石，哦，也许是异想天开，它们想用石头将黑鲩砸昏，砸昏的鱼会漂到水面来，这样就可以把黑鲩拖上岸去啃食了。这主意当然很愚蠢，假如礁石窟窿里没有水，里头藏匿着一只兔子的话，往里扔鹅卵石，就算不能将兔子砸昏，起码也能把兔子砸得仓皇逃窜。但礁石窟窿里有水，情况就大不一样了，水有很大阻力，鹅卵石扔进水后，只会轻飘飘沉落水底，绝不会对黑鲩造成伤害的呀。都说狐狸聪明，也不过如此嘛。但过了一会儿，它就发现自己压根儿想错了。随着鹅卵石不断扔进去，礁石窟窿里的水不断往外溢流，它突然明白这对夫妻狐之所以要往礁石窟窿扔鹅卵石，醉翁之意不在酒，并非是要用鹅卵石砸昏黑鲩，而是要用鹅卵石当填充物，让礁石窟窿由深变浅，迫使藏在水底的黑鲩渐渐往上升浮。这真是个高明的主意。人类移山填海，它们移石填洞，这礁石窟窿本来就不太大也不太深，不需要扔太多的鹅卵石，就能让黑鲩浮出水面。

都说狐狸聪明，果然名不虚传。

唉，自己的脑袋瓜怎么就不会开窍呢？

潮水上涨了许多，原先宽阔的沙滩已被河水淹没了一半。母豺火烧云此时此刻唯一的心愿，就是希望潮水上涨得更迅猛些，在这对夫妻狐移石填洞完成前，淹没这片奇形怪状的礁石。它没能吃到黑鲩，当然也不乐意这对夫妻狐吃到黑鲩。

可恼的是，这对夫妻狐也知道潮水即将淹没礁石窟窿，加快搬运鹅卵石，雄狐与雌狐齐心协力，在沙滩与礁石间来回奔波，当潮水快漫到礁石时，雄狐跳进窟窿去，母豺火烧云看得很清楚，雄狐的脊背露出水面，这说明仅有八十厘米深的圆锥形窟窿被鹅卵石填没一半以上，这点儿深度的水，狐狸是能够跳进去捉鱼的。黑鲩困在小小的礁石窟窿里，犹如瓮中之鳖，捕捉起来再方便也没有了。果然，礁石窟窿里水花四溅，不一会儿，雄狐嘴里衔着那条半米多长的黑鲩，从礁石窟窿里跳了出来。黑鲩首尾摆动，还在垂死挣扎。雄狐踏着齐膝深的河水，往岸边跑去。母豺火烧云希望黑鲩挣动得再厉害些，从雄狐唇齿间滑脱下来，掉进水里，活蹦乱跳逃到河中央去，到嘴的美食不翼而飞，让它们空欢喜一场。遗憾的是，半米多长的黑鲩虽然力气很大，雄狐接连被摔倒两次，但却死死咬紧狐牙绝不松开。很快，雄狐就跑到岸上，找了块干净的青石板，和那只妩媚的雌狐一起，吞食这条倒霉的黑鲩。

活杀活吃黑鲩，味道一定鲜美极了。人类的“鲜”字，就是“鱼”和“羊”两个字的组合，不管是两足行走的人还是豺狼虎豹食肉猛兽，都很爱吃鱼和羊的啊。

夫妻狐吃得津津有味，这条黑鲩足够它们饱餐一顿的了。

母豺火烧云蹲在小山包上，看得很憋气，看得很窝火，心里像有一群红头蚂蚁在爬，难受得要命。不仅饥饿难忍，还有一种被命运嘲弄的感觉。它流着口水，愤愤不平地离开古纳河，但愿鱼刺卡住这对夫妻狐的喉咙！

这件事给母豺火烧云留下的印象特别深刻，也许，可以依葫芦画瓢，借鉴夫妻狐的做法，移石填洞，让水井的底部不断抬高，从而使小狼崽甜点心升出井面。

说干就干，它立刻衔来石块往枯井里扔。但它很快发现，此时此地套用这个办法，却有点儿行不通。首先，这里不像古纳河沙滩，到处都是鹅卵石，可以毫不费力地就地取材；这儿很难找到大小合适的石头，不是太小就是太大，太小的石头扔进去作用不大，太大的石头它又搬不动，就算它搬得动，它也不敢拿大石头往井里砸，万一砸偏了，该救的没救出来，反倒会把小狼崽甜点心的脑袋给砸破的。它在井边转了好几圈，才找到两块拳头大小的石头，而枯井的容积起码是古纳河沙滩上那只礁石窟窿的三到四倍，区区两块拳头大小的石头，杯水车薪，根本无济于事。古纳河沙滩上倒是有大小合适的鹅卵石，但从这里去古纳河，要翻越两座山，少说也有七八里路，来回一趟最快也要个把小时，恐怕不等它把井填满，小狼崽甜点心早就没命了。或许，可以采取变通办法，刨泥土来填充这口井。它试了试，井周围的泥土很硬，且土里布满石头，刨了半天，豺爪都刨疼了，只刨出一层薄薄的草皮碎土。唉，它要是穿山甲就好了，穿山甲的爪子尖锐犀利，能在坚硬的山土上飞快掘出洞来。它不行，把豺爪挖断了，也无法挖出足够的土来将枯井填满。或许，可以叼一些树枝来当填充物，它想。它又试了试，这办法也不灵光，夏天正是植物生长的旺季，周围现存的枯枝败叶很少，豺的力量有限，很难从树上掰下枝叶来。

东方天边露出了鱼肚白，天蒙蒙亮了。小狼崽甜点心在井里叫得更凄惨，一声声苦涩的狼嚎，就像一根根钢针，深深刺痛它的心。怎么办？好为难。它用脑袋咚咚地撞击树干，强迫自己开动脑筋尽快想出一个切实可行的办法来。

发明创造并非人类专有，在特定条件下，为了生存，动物也会有创新的灵感和能力。

突然，母豺火烧云想起昨天傍晚捕捉到的那只红崖羊。它只吃掉一支羊腿，剩下的大半只红崖羊藏在树丛里。红崖羊体积不小，拖来填充枯井，倒是蛮合适的。

这主意不赖，值得一试。

它撒腿飞奔到昨晚藏匿红崖羊的树丛，扒开树叶一看，谢天谢地，猎物还没遭到偷窃。它咬住红崖羊的腿，拼命往枯井方向拖拽。红崖羊虽被肢解掉一支腿，却至少还有七八十斤重，走的又是崎岖不平的山路，每走一步都要花很大力气，走一小段路就不得不停下来喘口气。幸好路程不远，一路上也算太平，没遇到剪径强盗。只是走得太累，遇到上坡或翻越陡坎，简直累得快要虚脱了。也就是两里多路吧，却足足走了近三个小时，比蜗牛爬还慢，从黎明时分走到太阳快当顶，好不容易才把红崖羊拖到枯井边。

它趴在井口往下看，小狼崽甜点心整个身体软绵绵地泡在积水中，只露出湿淋淋的脑袋，眼神显得呆滞，号叫声也变得微弱，差不多已到了生命垂危阶段。它急忙撕了几片羊肉扔下去，小家伙倒还能咀嚼吞咽，吃了小半只羊腿，气色这才逐渐好转。

它小心翼翼地将红崖羊搬到井口，然后叼住羊脖，将红崖羊推进井去。不错，红崖羊平稳掉进井底，没砸疼和压伤小狼崽甜点心。红崖羊斜躺在井底，是挺合适的垫脚石，小家伙踩着羊腰爬上羊肩，哦，足足升高七八十厘米。小家伙后腿踩在红崖羊身上，前肢攀住井壁，慢慢站了起来，完全站直后，两只前爪离井口最多还差半米了。

小家伙虽然还未成年，还不够勇猛顽强，但蹿跳半米的高度是完全做得到的。只要用力一跳，两只前爪抠住井口，就能从枯井翻爬出来。这个动作类似引体向上，对狼来说，难度不算太大。小家伙眼睛望着井口，跃跃欲蹿，可又有点儿胆怯，犹犹豫豫拿不定主意。

母豺火烧云趴在井沿，不断用叫声催促：别害怕，勇敢些，用力蹿跳，我晓得你不愿意困死在这口井里，我晓得你现在很想回家，那你就必须蹿跳，跳出井，我们就可以回家了，你一定会成功的！

在它的勉励下，小家伙鼓足勇气蹿跳起来。扑喇，眼瞅着两只前爪已经举过井口，比井口还高出约半寸呢，狼耳也蹿跳得几乎与井口平行了，可指爪未能抠牢井口的石缝和草根，身体又擦着井壁不由自主地坠落下去。井壁的泥沙淋了小家伙一头一脸。

井底垫着一只红崖羊，凹凸不平，小家伙跌得四脚朝天，挣扎了半天好不容易才爬起来，又费了好大的劲，这才重新站立到红崖羊的肩上。

母豺火烧云再次用充满感情的叫声进行引导和激励。

——刚才你只差一点点就成功了，你完全具备蹿上井口的能力。再试一次，沉住气，后腿用力往下蹬，你要相信自己，肯定能蹿出井来！

母豺火烧云也收紧四肢暗中做好准备，一旦小家伙两只前爪能抠牢井口的石缝或草根，脑袋能探出井沿，只要能坚持几秒钟，它就会叼住小家伙的颈皮，助小家伙一臂之力，把小家伙拖出井来。

小家伙迟疑了好一阵，终于又蹿跳起来。这一次，情况更糟，连前爪都未能露出井口，身体便顺着井壁滑落下去，下巴似乎也被井壁磨破了，半张脸都是血。

在母豺火烧云一再督促下，小家伙勉勉强强重新回到红崖羊肩上，可两条后腿不断颤抖，腰肢弯曲，似乎连站都快站不住了，眼睛里充满恐惧，看得出来，已完全丧失了自信。

母豺火烧云本打算继续用叫声鼓励和催促小家伙再次蹿跳的，可转念一想，小家伙连攀爬到红崖羊肩上都这么困难，硬要蹿跳的话，结果肯定比上两次更糟糕。虽然仅有半米的高度，但小家伙在齐腰深的水里泡了十多个钟头，身体已十分虚弱，再怎么努力恐怕也很难蹿跳出枯井来。站在软塌塌的红崖羊的肩上，估计也会影响蹿跳的高度。再说，小家伙已失败了两次，勇气和信心都没了，再失败的话，很有可能会变得绝望，求生意志崩溃，弄不好连红崖羊的肩头都攀爬不上来。真要这样的话，小家伙就只能在井里等死了。

必须再想个办法，帮助小家伙克服失败造成的心理障碍，成功跨越半米高度！

再想往井里扔填充物，抬高小家伙的位置，那是不现实的。唯一可行的是，在小家伙蹿跳时，拉小家伙一把。怎么拉呢？豺爪没有“手”的功能，豺移动幼崽或搬运食物，全靠一张嘴。小家伙必须脑袋探出井口，它才能发挥嘴的功能，叼住小家伙的颈皮往上拉拽。小家伙无法将脑袋蹿跳出井口，它的嘴巴也就发挥不了作用。唉，要是它长着一条金丝猴的尾巴就好了，它现在就不用发愁了。

它曾亲眼目睹，不不，是亲身领教过金丝猴尾巴的威力。那是一个秋天的早晨，它到日曲卡雪山南麓大林莽去觅食，路过一片野橄榄树林，听见树冠上传来呦呦唧唧金丝猴的叫声。它没有停留，侧着脸朝树冠投去匆匆一瞥，继续走自己的路。它倒不是对猴肉不感兴趣，而是晓得金丝猴属于完全树营性动物，不分白昼黑夜都在高高的树冠上活动，豺不会爬树，吃金丝猴可以说比登天还难。动物都是实用主义者，知道是得不到的东西，就不去做非分之想。它刚要转身离去，突然，树冠咔嚓一阵响，随着几声惊叫，掉落下一件东西来。它定睛一看，嘿，是一只还在吃奶的幼金丝猴！显然，幼猴淘气，在树丫上疯闹，一不小心失手掉下树来。对它来说，真是天上掉馅饼，不吃白不吃。豺吃金丝猴，犹如人类吃燕窝鱼翅，是很稀罕的食物。它喜上眉梢，立即向猎物扑咬。幼金丝猴从高高的树上摔下来，摔得鼻青脸肿，又见豺龇牙咧嘴扑过来，吓呆了，抱住脑袋缩成一团蹲在地上。哈，一小堆待宰的肉。它的豺爪只差一步就要落到幼金丝猴身上了，突然，橄榄树上哗啦一声荡下一只成年金丝猴来，长长的猴尾卷钩在一根横枝上，像玩杂技似的头朝下尾朝上，张开双臂从天而降，抢在它前面，抱起幼金丝猴，树枝晃悠，身体刹那间倒卷而起，将幼金丝猴抱回树上去了。它看得目瞪口呆，成年猴用尾巴卷住树枝倒挂下来抱走幼猴的情景，深深镌刻在它的脑子里。

井边上就有一棵蔓地而生的忍冬树，树干约有豺脚粗。假如它有金丝猴尾巴，钩在忍冬树干上，很方便就能倒挂到枯井去，将小家伙救出苦海。遗憾的是，豺虽然长着一条蓬松的大尾巴，从尾根到尾尖少说也有半米长，却不具备用尾巴缠绕树枝的功能。唉，比起金丝猴尾来，豺尾实在是太笨拙太僵硬了啊。

尾巴？尾巴！

母豺火烧云大幅度甩动自己的尾巴，似乎尾巴里藏着一个可以拯救小狼崽甜点心的秘密。突然，它脑子豁然一亮，想出个主意来。豺尾虽然不能卷钩树枝，但豺嘴可以咬住树枝，然后把豺尾放进枯井，也等于是给小家伙放了一把登高的软梯，小家伙只要叼住它的尾巴，它就能发力将小家伙拖出枯井。

这真是一个奇妙的主意，空前绝后的创举。它兴奋得长啸起来。

它咬住忍冬树干，将屁股退到井沿。距离刚合适，尾巴正好能垂直放落井里。从尾巴的长度判断，豺尾垂直放落下去，尾尖绒毛差不多可以触碰到小家伙的嘴吻了，不用费什么力气，小家伙就一定能咬住它的尾巴。

成功的希望很大，可以说十拿九稳。

它嗖地平举尾巴，刚要将尾巴放落到井里，突然打了个寒噤，又将尾巴盘回到自己腿边。这样做合适吗？豺的尾巴是一根细细的软骨，脆弱易断。小家伙虽说还是幼崽，但锋利的狼牙早已长齐。小家伙年纪尚小，很难掌握好叼与咬的区别，害怕豺尾会从口中脱落而再次掉到井底，情急之中，完全有可能拼命咬住它的尾巴。叼与咬虽然外形动作相似，都是用牙齿卡紧物体，可两者之间却有着质的差异：叼是用唇齿衔住物体，以唇代齿，以齿助唇，再怎么用力尖利的牙齿也不会戳破皮肉伤及筋骨，母豺、母狼、母豹、母狮、母虎、母鳄搬运幼崽时，都会张开嘴巴“咬”住幼崽的脖颈，其实这不是咬，而是最典型的叼衔；咬就不同了，咬是用牙齿噬啃，锐利的牙尖穿透皮肉，切割骨头。倘若小家伙“咬”它的尾巴时，不是叼衔而是噬咬，锋利的狼牙完全可能会将它的尾巴咬断的啊。对豺来说，尾巴虽然不是身体上的致命部位，但若被咬断，却也是不可忽视的重大损伤。豺不是壁虎，壁虎的尾巴断掉后，用不了多长时间就会长出新的尾巴来。豺尾一旦断裂，永无修复的可能，一辈子就是断尾豺了。对豺而言，尾巴是一种多功能器官。尾巴能使豺在高速奔跑中保持身体平衡，在急转弯时，尾巴还能起到舵的作用，协调身体其他部位的动作。从高处往下蹿扑时，蓬松的尾巴还能增加身体坠落的阻力，起到一点儿降落伞的作用。冬天，日曲卡雪山冰雪覆盖，夜晚睡觉时，将绒毛稠密的尾巴盖在身上或缠在脖颈，能有效抵御严寒。夏天，尕玛尔草原蚊蝇肆虐，到沼泽地觅食，挥甩尾巴能驱赶这些可恶的小吸血鬼。对雌豺来说，尾巴还是吸引异性重要的工具。有一条华丽活泼的尾巴，就像人类女性有一条美丽的花裙子，能让公豺神魂颠倒。豺尾轻摇曼舞，能含蓄地表达爱慕之情。对人类来说，是拜倒在石榴裙下，对豺来说，是拜倒在美丽大尾巴下。雌豺断尾，犹如女人破相，会带来一连串的不幸。它的同胞姐姐俏尾儿，原先长有一条美轮美奂的尾巴，在刚刚发育成熟情窦初开时，尾巴后面就黏着四只年轻英俊的公豺，可以说是泡在甜蜜的爱情中长大。一岁半龄时，它在一次狩猎中不幸被逼急的雪兔反咬了一口，恰恰咬在尾巴上，那条整个家族都引以为骄傲的尾巴被齐根咬断了。美丽的俏尾儿变成了丑陋的秃尾豺，众多的追求者纷纷不辞而别，甜蜜的爱情没有了，就像从蜜罐跌进了黄连汤，生活变得苦涩而艰难。它产下三只幼崽，但由于尾巴折断影响了猎食技能，身边又没有贴心公豺帮衬照顾，不到一个月时间，三只幼豺便相继夭折了。俏尾儿孤苦伶仃，一天比一天憔悴，没过多久也在一个暴风雪的夜晚饿死在荒野。

假如它的尾巴也被咬断的话，很有可能会重演姐姐俏尾儿的悲剧。

要是现在困在井里的是它的亲生幼崽，出于骨肉深情，它会毫不犹豫将豺尾放落下去的。母爱的特质就是勇于牺牲自己，为了救出亲生宝贝，它舍得献出自己的尾巴。问题是，现在困在井里的是一只小狼崽，为救仇敌的后代，弄断自己漂亮的尾巴，它这么做是否值得呢？它迟疑着，思量着，拿不定主意自己究竟该不该这么做。

井下，传来小狼崽甜点心嘶哑的哀嚎，母豺火烧云忍不住一阵抽搐，心尖像被什么东西捏了一把。唉，不管怎么说，小家伙把它当作亲娘，它怎能眼睁睁看着小家伙受苦受难而撒手不管呢？罢罢罢，就用自己的尾巴冒一次险吧。豺尾毕竟不是纸糊的，哪有这么容易断的呀。为了曾经有过的一段母女情，它就豁出去了。

它不再犹豫，挺起自己的尾巴，垂直放入井中，就像放了一根绳索或一条软梯。它晃动着尾尖，给小家伙发出讯号：叼住我的尾巴，奇特的救援行动就要开始了！

——求求你，千万别咬得太狠，我可不想成为难看的断尾豺。

——我教过你叼与咬的区别，希望你没有忘记。

井里传来噗的轻微声响，它的尾尖一阵刺痛。它晓得，小家伙已经踮跳起来，张嘴咬住了它的尾巴。一股力量在拼命将它往井里拖拽，它的身体在往下滑落。它的嘴紧紧咬住忍冬树干，四只豺爪插进土里，抠住石缝草根，用尽所有的力气支撑住下滑的身体，并一点一点艰难地往前挪动。豺尾绷紧如弦，似乎快要被拉断了。肛门胀得难受极了，有一种忍不住想要大便的感觉。小家伙果然还未能掌握叼与咬的分别，尖利的牙齿已戳穿皮肉，直插细细的尾骨。就像有一把生锈的钝锯子在慢慢切割它的尾骨，疼得肝胆欲裂。豺尾不是起重机，要从井里吊起一只十个月大的小狼崽来，谈何容易啊。五脏六腑似乎也要从肛门排泄出来了。对豺来说，这恐怕是世界上最残酷的刑罚了。早知道会这么难受，它才不会傻乎乎用豺尾去吊小家伙的。现在后悔也晚了，它要是现在打退堂鼓的话，只能是跟着小家伙一起坠落井底，还不能保证自己的尾巴没有被咬断。开弓没有回头箭，上贼船容易下贼船难，它现在想不干也不行了，只有咬紧牙关坚持到底。

呜呜，它嘴边发出埋怨的啸叫。

——你不能吊在我的尾巴上毫无作为，我快吃不消了啊。别那么懒惰好不好？伸出你的狼爪来，蹬着井壁往上爬！

枯井里，传来沙土往下掉的声响。哦，小家伙还不算太笨，狼爪开始踩着井壁往上攀登，这多少减轻了它的压力，它又竭尽全力往前爬了两步。

突然，它感觉尾部的下坠感消失了，就像突然扔掉了千斤重负，身体轻松得就像要飘起来。背后传来小家伙的呜咽声，它扭头望去，小家伙已经爬出井，满脸死里逃生的喜悦，激动得浑身发抖。

总算把小家伙救出来了，它长长地舒了口气。

它要做的第一件事情，就是检查自己的尾巴。剧烈的疼痛倒是消失了，可尾根那儿一片麻木，什么感觉也没有。往前走了几步，尾巴像条僵硬的死蛇拖在地上。它的心凉了半截，尾巴真的被咬断了？它使劲摇动屁股，将意念集中到尾巴。过了一会儿，尾尖笨拙而缓慢地动了一下。它心里的一块石头这才落地。尾尖能动，就说明尾巴没断。尾尖部分湿漉漉的，望得见殷红的血水。被咬出血来了，还被咬掉了一绺豺毛。伤口又开始疼痛，火烧火燎般，还伴有肿胀的感觉。哦，尾巴被咬伤了，似乎还伤得不轻，起码十天半月不能正常地挥甩尾巴，也许要个把月伤口才会痊愈。没关系，只要尾巴没被咬断，就是大吉。能将小家伙从井里救出来，吃点儿苦、流点儿血、遭点儿罪，也是挺值的。

小家伙惊魂甫定，拖着湿漉漉的身体，钻进它怀里。哦，脏得像水鬼，脏得像泥猴，别弄脏了我的豺毛。它举爪欲将小家伙推开些，可小家伙根本不听它的，拼命往它的怀里拱。唉，真是讨厌的小冤家。它只有妥协，将小家伙揽进怀里。小家伙长时间困在井里，受到强烈惊吓，身上都打湿了，也冷得瑟瑟发抖。钻进它的怀抱后，还拼命蹭动，恨不得钻进它的身体里去。对幼崽来说，娘的怀抱是最温馨的摇篮，娘的怀抱是最安全的港湾。

母豺火烧云就像嚼着一枚青橄榄，开始有点儿酸涩，继而产生回甜，心里甜津津的好舒服哟。尾巴疼痛的感觉似乎也缓解了许多。甜点心，哦，真是个可爱的甜点心。

甜点心，当初给小家伙起这个名字时，是作为食物的标签，不知怎么搞的，竟然变成爱称，一个甜甜蜜蜜亲亲昵昵的小名，真是活见鬼。

第十一章　雌狼怀春

金秋时节，天高气爽。甜点心进入成长发育的快速提升期，几乎一夜之间，个头就比母豺火烧云高出一截了。屈指算来，甜点心已满一周岁了。一岁龄的狼已进入青春发育期，假如可以类比的话，就是从少女狼变成大姑娘狼了。再称呼其为小狼崽甜点心，显然很不合适，应该叫雌狼甜点心了。

对人类而言，女大十八变。对雌狼来说，满一岁龄后也是越变越美丽。细腰宽臀，玉腿健美，皮毛浓密油亮，身材呈漂亮的流线型。狩猎的技艺虽然还不娴熟，经验也还不足，但扑咬的速度和力量都比母豺火烧云强得多。

它明白，再不下决心除掉甜点心，恐怕将来就无法对付这匹越长越大的雌狼了。养狼遗患，自己的生命将受到严重威胁。就算甜点心不会翻脸不认它这个娘，但它居住了多年的领地极有可能被甜点心霸占，成为狼的土地，而它难免会被扫地出门。

可它仍迟迟下不了决心。

犹犹豫豫间，日曲卡山麓雪线下移，漫山遍野树叶飘零，时令进入秋末初冬。雌狼甜点心又长大了一圈，变成一匹威风凛凛的黄毛大雌狼了。它晓得，甜点心再不是什么候补食物了，而一跃变成了潜在的捕猎者。它自己倒成了这匹雌狼的候补食物，如果这匹雌狼饥饿时想吃它的话。

除了有这种担心，其他方面都很正常。有甜点心做帮手，捕捉猎物比过去要容易得多了。甜点心是在它怀里长大的，又很聪明，任何一点儿暗示都能心领神会。双方联手，再机警的猎物也很难逃脱，甚至捕获到了极善奔逃的马鹿。食物丰盈，无忧无虑，小日子过得还是挺滋润的。雌狼甜点心虽然个头比它高了，却仍旧依赖它，信任它。白天驰骋猎场，甜点心绝对服从它的指挥，夜晚回到大肚佛窟，仍喜欢依偎在它身边睡觉。

今年日曲卡山麓的冬天比往年来得早，尕玛尔草原沼泽地里的黑天鹅还没南迁，便飘起了第一场雪。许多动物天生具备气象预测能力，母豺火烧云感觉到，今年气候有点儿反常，是个多雪的冬天，是个严寒的冬季，极有可能会出现罕见的暴风雪。它不为食物匮乏的冬天早早来临而发愁，只要甜点心帮忙，即使积雪有三尺厚，即使流年不利因猛烈的暴风雪而发生大饥荒，它们也一定能获得足够的食物。

它没有想到，比多雪的冬天更可怕的生存危机，正悄悄来到它身边。

那天清晨，同往常一样，它和雌狼甜点心一前一后跨出大肚佛窟到尕玛尔草原沼泽地捕捉黑天鹅。有一句俗话说，癞蛤蟆想吃天鹅肉，以比喻不可能做到的事情。癞蛤蟆能不能吃到天鹅肉它不清楚，但它却是每年都有十来天时间靠觅食天鹅肉为生。不仅是豺，在日曲卡山麓一带谋生的其他食肉兽，虎、豹、獾、狐、熊、狼、金猫、猞猁、水獭等，也都有机会品尝天鹅肉。对生活在这里的食肉居民来说，天鹅肉并非稀罕之物，而是每年都可以享用到的家常便饭。

尕玛尔草原腹地，那片浩瀚的沼泽湿地是黑天鹅的栖息地。每年春天，黑天鹅们从遥远的南方飞到这里，谈情说爱，交配产卵，繁衍后代。到了秋末，黑天鹅们就又飞回遥远的南方去越冬。在这个过程中，有一部分当年生的小黑天鹅，或者因为翅膀有伤飞不起来，或者因为先天不足身体虚弱，或者因为出壳较晚还不成熟，无法跟随种群长途迁飞，被迫留在尕玛尔草原上。气温下降，水面结起了冰层，别的季节根本无法走进去的沼泽地，这时变得畅通无阻。那些滞留在这儿的小黑天鹅被冻得奄奄一息，比家鸡飞得还笨拙，就成了食肉兽不费吹灰之力即可捡到的美食。

跨出大肚佛窟，拐过小山湾，走了一段路后，雌狼甜点心跑到灌木丛下，高高撅起屁股，将尿液喷射到树干上去。只要是生命，都有新陈代谢，既要吃饭饮水，也要屙屎撒尿，这是很正常的生理现象。可让母豺火烧云颇感不安的是，甜点心这次撒尿不同寻常，撒得很别致，撒得很耐“人”寻味。如果是普通的撒尿，无非是解决膀胱的压力而已，随便走到哪里都可以操作，不需要挑剔地点。野生动物没有厕所的概念，当然是随地大小便。可甜点心却不在就近的路边解决问题，偏要跑到那蓬生长在岩石间很显眼的灌木丛去撒尿。更奇怪的是，还用嘴咬开枯枝败叶，冒着可能被荆棘划伤皮肤的危险，钻到灌木丛主干前，高高撅起屁股，将尿液喷射到树干上去。这多累呀，普通排泄，犯得着这么做吗？还有更让母豺火烧云头疼的事呢。通常撒尿，只求酣畅痛快，稀里哗啦把压迫膀胱的尿液排泄出来，也就完事了。可甜点心却只往灌木丛树干上喷射了几滴尿液，便紧急刹住，将尿收缩回去，好像尿是什么珍贵的东西，舍不得一次撒完。又往前走了一段，来到三岔路口，在一块独立的龟形岩石前，甜点心又跷起一条后腿，往岩石上撒了一小点儿尿。就这样走走停停，每走一段路，甜点心就在小树、石头或草丛边撒一些尿。一泡尿分七八次才撒完，整体批发改成拆散零售。就纯生理而言，分段式撒尿，绝不是惬意的事情，恰恰相反，应该说是一种痛苦的折磨。显然，甜点心不是为了撒尿而撒尿，而是另有所图。

豺与狼同属犬科动物，行为特征有许多相似之处，母豺火烧云当然知道甜点心为什么要这么做。

这不是在撒尿，而是在用气味吸引异性。对想恋爱的狼来说，气味是最重要的信息源。

甜点心一周岁了，对雌狼来说，性意识觉醒，已到了情窦初开的年龄。

同为犬科动物，与狗相比，豺和狼的恋爱期很长。狗是人类豢养的宠物，没有饥寒之虞，在婚姻问题上实行杯水主义；豺和狼作为野生的中型猛兽，雌豺或雌狼有食物压力，有养育后代的压力，有抵御同类骚扰或相残的压力，有抗击天敌侵害的压力，所以雌豺和雌狼一般都会在几个追求者中间进行比较，有一个对异性的考验期。尤其是狼，在这一点上表现得更加明显。狼社会普遍实行一夫一妻制，公狼又大多是些得陇望蜀的家伙，而母狼只有和公狼共同生活，才能使幼崽存活下来。所以母狼很挑剔，远在春情来临之前，就会将一些单身公狼吸引到自己身边，测试、考验，有的还会共同生活一段时间，一般是度过半个冬季，确实情投意合，或者说确信公狼对自己爱得很深，不会在它怀孕、分娩、哺乳和育幼期逃之夭夭，这才会在发情期来临时与之交配产崽。

众所周知，哺乳动物是靠鼻子思想的。对狼来说，谈恋爱主要不是用语言互相了解，而是靠气味来互相沟通。异性相吸，指的是呼吸，你吸入我的气味，我吸入你的气味，然后就互相吸引。气味是哺乳动物爱情生活中唯一的红娘。甜点心用分段撒尿的方式，其实就是在散布自己的气味，告诉途经此地的大公狼，附近住着一位芳龄一岁的佳丽，待字闺中，估价而嫁，闺中寂寞正期待如意郎君，过了这个村就没有这个店，机不可失时不再来，有意者可踊跃参加面试，免收报名费，千万别错过哟！

在路边显眼的地方分段式撒尿，其实是在张贴路标，或者说是在张贴征婚广告。

母豺火烧云清楚地知道，甜点心受体内荷尔蒙的驱使，出于一种生命的本能，正在积极编织情网。普遍撒网，重点捉鱼，在为明年春暖花开发情期的来临做准备。同样作为雌性，火烧云理解这一点。哪个雄性不钟情，哪个雌性不怀春？问题是，像甜点心这样的雌狼，青春花季，容貌姣好，又生就一双会拨弄风情的媚眼，情网绝不会空撒，一网下去说不定就会有好几匹公狼神魂颠倒。这里将变成狼的情场，变成野狼出没的山谷。甜点心不管怎么说和它总有哺乳之情，想要加害它的可能性不大，但那些公狼绝不会愿意看到一只母豺在一旁碍手碍脚的。恋爱中的公狼有可能拿它当道具，一展勇猛风采，表演狩猎技艺，三下五除二咬死它，以证明自己有能力养家糊口，以获得甜点心的青睐；而失恋的公狼有可能拿它当出气筒，将它咬成碎片，以发泄情场失意所带来的忧愁。

已到了必须与雌狼甜点心分道扬镳的时候，它可不想拿自己的生命来给狼当陪嫁。

天色阴霾，乌云低得仿佛压住了树梢，天空中纷纷扬扬地飘着雪尘。外出狩猎的好心情早就泡沫似的破灭了。母豺火烧云感觉到，自己心里就像飘洒着雪尘的恶劣天气，阴沉沉乱麻麻。

到了尕玛尔草原，它也无心深入沼泽地去追逐小黑天鹅，而是捡了两枚没能孵化出来被遗弃的天鹅蛋，就匆匆结束这场狩猎，垂头丧气地回大肚佛窟了。

都是甜点心那泡尿给害的。

它早就知道，有豺没狼，有狼没豺，不可调和的矛盾迟早是要爆发的。潜在的危机已变成了现实的威胁。由于它的优柔寡断，它失去了很多次解决甜点心的机会。现在，小狼崽已经变成成年狼，它即使感情上割舍得下，即使能狠起心肠，也没有能耐将甜点心除掉了。要躲避威胁，它只有带着委屈和愤懑离开这块土地，狼走狼的阳关道，豺走豺的独木桥。它当然舍不得离开这块土地。这里本来就是属于它的。它不可能找到比这里更好的地方了。可是，它别无选择。

天哪，它是在拿自己的生存权开了个天大的玩笑。

第十二章　痛失前腿

面对这头狗熊，母豺火烧云拿不定主意，不晓得该进攻还是该撤退。

狗熊也是山林猛兽，熊皮厚韧，熊掌结实，脾气暴烈，力大无穷，只有老虎和金钱豹这样的大型食肉猛兽，才敢去袭击狗熊。一般情况下，无论豺还是狼，遇到狗熊都会退避三舍，不敢主动去招惹的。

假如对面是一只五大三粗体重达四五百斤的成年狗熊，母豺火烧云考虑都不用考虑，立刻就会带着甜点心转身离去。打得赢就打，打不赢就走，食肉兽都是投机分子，没必要为一场毫无取胜希望的狩猎浪费宝贵的时间和精力。

让母豺火烧云心动的是，面前这只狗熊个头仅有成年大狗熊的三分之二，脸上稚气未脱，胸口那块白斑颜色尚浅，两只小眼珠子惊恐不安地骨碌转动，一看就知道是只刚刚离开母熊独立生活的乳臭未干的半大小熊。

天上飘着雪花，这讨厌的雪已经连续下了两天两夜，老天爷还没有转晴的意思。它和甜点心已经整整一天没吃到食物了，饿得肚皮贴到脊梁骨，实在没办法，只好冒着大雪出来觅食。在日曲卡山麓奔波了半天，转了好几座山头，仍一无所获。好不容易在这条山沟里遇到这只狗熊，假如放弃的话，很有可能又要度过一个饥寒交迫的漫长冬夜。

这只半大的小熊踮起后肢直立着，抖动脖颈和脸颊的绒毛，尽量让自己的躯体显得更高大魁梧些。两只熊爪挥舞，张开尖尖的熊嘴，露出锐利的牙齿作噬咬状。

这家伙，拼命显示自己的威力，用意很明显，是想把它和甜点心吓走。这说明，小狗熊内心很虚弱，害怕遭到一豺一狼的攻击。用“色厉内荏”来形容，是最恰当不过了。

哦，这是一只丛林生活经验不足的小狗熊，这是一只对自己缺乏信心的小狗熊。它和甜点心齐心协力，并非没有可能吃到一顿熊肉大餐。

假如真能捕杀这只重达两三百斤的小狗熊，埋进雪堆冻成冰冻熊肉，这半个冬季它和甜点心就不必再为食物发愁了。风险与利益成正比，放弃这个机会实在太可惜了呀。

小狗熊走到一棵小树前，熊爪抓住树枝用力扳撇，咔嚓一声响，酒盅粗的树枝折断了。堆积在树枝上的冰

凌与雪块掉落下来，砸在火烧云和甜点心身上，它俩被迫往后跳闪。小狗熊得意地㘄㘄叫着，两条熊臂抱住树干拼命摇晃，小树吱呀吱呀发出痛苦的呻吟。小狗熊摇得更加起劲，笨重的躯体索性压在树干上，“哗啦！”碗口粗的小树被拦腰压断了。小狗熊坐在断树上，嘴里呼呼喘着粗气，冲着火烧云和甜点心吼叫，意思再明白不过了，是在警告它们：我可不是好欺负的，你们都看到了，我一巴掌就可以掰断一棵小树，我是森林有名的大力士，你们敢惹我生气的话，我就要像掰断小树那样掰断你们的脖子！

母豺火烧云嘴角弯翘，露出嘲讽的表情。何必费这么大的劲去掰断小树呢？空洞的威胁，无谓的恫吓，不切实际的炫耀。除了消耗自己的体力，根本起不到任何作用。不过，这家伙虽然愚蠢，力气倒真不小，两只黑黢黢的熊掌尤其厉害，万一搏杀起来，弄不好确实会把豺脖子和狼脖子都扭断的。

虽然是二对一，可它和甜点心两个加在一起，身体也没有小狗熊这么重，力气也没有小狗熊这么大。它们的优势是，豺和狼的头脑都比熊聪慧，身体也比粗笨的狗熊灵活得多，且具有丰富的狩猎经验，能前后夹攻，使小狗熊顾了头顾不了尾。而小狗熊的优势是，身上裹着一层难以咬穿的厚韧的熊皮，浑身有使不完的力气，还有犀利的熊掌和可怕的熊牙。客观说，双方势均力敌，各有千秋。真要厮斗起来，谁也无法稳操胜券，输赢的可能各占一半。

唉，算了吧，获胜的概率不大，犯不着为了吃一顿熊肉，去冒这么大的风险。还是知难而退，到别处去寻找更有把握捕捉的目标吧。可是，大雪纷飞，气候这么恶劣，要发现合适的猎物，谈何容易啊。放弃是明智的选择，不能拿性命来开玩笑。狩猎本身就是生命的赌博，要想获得高收益就必须要冒高风险！

母豺火烧云一面龇牙咧嘴与小狗熊周旋，一面在脑子里掂量双方的实力，权衡利弊得失，在进攻与撤离之间作艰难的抉择。

就在这时，雌狼甜点心悄悄绕到小狗熊背后，突然扑蹿上去，在小狗熊屁股上狠狠咬了一口。小狗熊号叫一声，转身舞动熊爪反扑，甜点心敏捷地跳开了。

饥饿会刺激冒险精神，毫无疑问，甜点心肚子饿极了，等不及它发出进攻指令，就冒冒失失率先向狗熊扑了过去。

比起豺来，狼的耐心要差一些。

战火已经点燃，进攻已经开始，母豺火烧云也只有顺应变化的形势，飞快地蹿跃上去，趁小狗熊忙着反扑甜点心，跳到小狗熊背后，在熊腿上狠咬。

小狗熊立即回转身，气急败坏地来对付它。它当然不会傻乎乎地与熊正面撕打，立刻轻旋豺腰，跳将开去。就在小狗熊追咬它时，甜点心又跳到熊背上猛撕了一爪。

它和甜点心配合默契，小狗熊腹背受敌，陷入被动挨打的窘境。

它很高兴，敌进我退，敌退我进，咬一口就走，撕一爪就跑，这是对付强大的狗熊最有效的手段。虽说熊皮厚韧，无论豺牙还是狼牙，无论豺爪还是狼爪，都不可能几口或几爪就让小狗熊受到致命伤害。狠狠咬一口，最多也只能咬穿熊皮咬出点血来，猛烈撕一爪，最多也只能扯断熊毛并在熊身上抓出几道血痕。但是，你一口我一口，你一爪我一爪，对小狗熊心理上的打击却是致命的。首尾难顾，疲于奔命，只有招架之功，没有还手之力，时间一长便会悲观、沮丧、绝望，求生意志彻底崩溃。再说，虽然咬一口仅能咬破点皮，撕一爪仅能撕出几道血痕，但积少成多，咬几百口，撕几千爪，伤口叠伤口，血痕垒血痕，终究能让小狗熊呜呼哀哉的。

面对生命力旺盛的小狗熊，想速战速决，三下五除二就解决问题，那是不现实的，只有靠耐心和毅力，长时间多回合拉锯战，才能获得胜利。

甜点心似乎也明白这个道理，敏捷地跳闪，躲开熊牙熊爪气势汹汹的扑击，避其锋芒，然后乘虚而入，从背后频频向小狗熊扑咬。

灵活的战略战术果然有奇效。半个多钟头后，小狗熊嘴角泛出白沫，大口喘息，反扑的动作越来越笨拙，追咬的步子也越来越迟缓。看得出来，这家伙已快累得精疲力竭了，背部与后肢伤痕累累，血把熊毛都濡湿了。瞧这情形，用不了多长时间，小狗熊就会瘫倒在地，变成一堆任豺狼宰割的熊肉。

就在这时，情况发生了意想不到的变化。小狗熊突然改变了策略，背后受到袭击后，不再盲目地追咬，而是扭转熊嘴作噬咬状。当火烧云或甜点心跳闪开去后，便撒开熊腿往左侧一座小石山奔去。开始，母豺火烧云还闹不明白小狗熊为何要不顾一切往小石山奔逃，咬咬停停，奔奔走走，很快便离小石山只有五六十米了，它往小石山瞥了一眼，心里咯噔一下，明白小狗熊为啥要这么做了。小石山正面是几丈高的绝壁，呈圆弧形，绝壁正中，有个约半米深的凹坑。这是一个对小狗熊非常有利的地形，小狗熊只要逃到绝壁下，熊背嵌进那个凹坑，就不用再担心背部受到袭击，就可彻底扭转被动挨打的局面。它和甜点心想要进攻的话，只有从正面进行扑咬，而豺狼从正面与狗熊交锋，是占不到什么便宜的。小狗熊没了后顾之忧，快要崩溃的求生意志便会苏醒复活。更可恼的是，小狗熊背靠绝壁，不仅能获得喘息机会，还能以逸待劳，不用费多大的劲就能抵御它和甜点心的进攻。

小狗熊虽然背部与后肢伤痕累累，但都是些非致命的轻伤，虽然鲜血把一大片熊毛都濡湿了，但远未到流尽最后一滴血的程度。指望小狗熊身上的创伤由量变到质变，过一会儿自己倒毙在地，那是不可能的。恰恰相反，小狗熊一旦逃到绝壁下，那些浅且小的伤口会自动愈合，不再流血，体能会迅速恢复，生命力又会变得十分旺盛。它和甜点心想把小狗熊困死在绝壁凹坑里，也是不可能的。狗熊在秋天时拼命进食，身上长了厚厚一层脂肪，就像建了一座储备粮仓一样，在冬季食物紧缺时，可以靠身上的脂肪来维持生命，十天半月吃不到东西，也不会饿死。而它和甜点心，已经饿了一天，再饿一两天的话，就会变成两具雪地饿殍。到了那个时候，不是它们能否吃到熊肉的问题，而是小狗熊要把它们当食物了。

明摆着的，一旦让小狗熊逃到绝壁下，形势就会逆转，它们将前功尽弃。

当务之急，也是关键的关键，是要阻止小狗熊逃往小石山！

母豺火烧云不再蜻蜓点水式的叼咬，而是变成黄蜂采蜜式的啃咬，黏在小狗熊屁股后面，你不转身反扑，我就不跳闪，一口接一口咬下去，看你还怎么往小石山靠拢！

小狗熊被迫回转身来，声嘶力竭地吼叫，追咬母豺火烧云。

母豺火烧云就在原地兜圈子躲闪，控制好奔逃的节奏，让小狗熊保持在两三步之外的距离，好像再加一把劲马上就要追上了，却始终又差那么一点儿。

它逃累了，就让甜点心来替换它，也采用同样的策略，黄蜂采蜜式黏在小狗熊屁股后面啃咬，迫使小狗熊不得不转身反扑，甜点心便在原地兜圈子躲闪，引诱小狗熊全力以赴来追咬。

一豺一狼轮流上阵，你方唱罢我登场，你跑累了我接替，接力赛跑，车轮大战。

小狗熊果然上当，像被牵住了鼻子一样，傻乎乎地转圈追咬。

转圈圈，圈圈转，转了一圈又一圈。

转得你头昏眼花，转得你晕头转向，转得你眼冒金星，转得你分不清东西南北，转得你想不起还要往小石山奔逃！

十多分钟后，小狗熊果然被转晕了，步履踉跄，就像喝醉了酒。熊嘴吐出好几口秽物，反胃呕吐，看起来难受极了。熊腿弯曲，蹲坐在地上，瞪着一双迷茫的熊眼，扑哧扑哧大口喘息，就像在拉一架老式风箱。

嘿，别停下，继续追我呀，你很快就会追上我的，你是森林大力士，你很容易就能拧断我的脖子！母豺火烧云绕到小狗熊侧后，在熊腿上叼了一口，呦呦啸叫。

小狗熊似乎麻木了，什么反应也没有。

甜点心也绕到小狗熊背后，咬住短短的熊尾巴，用力拉扯。

小狗熊艰难地站了起来，摆出反扑的架势。火烧云和甜点心灵活地跳开去，做好兜圈子奔逃的准备。突然间，小狗熊撒腿朝小石山狂奔。这一次，熊脑袋似乎开窍了，任凭火烧云和甜点心如何黄蜂采蜜式黏在屁股后面啃咬，小狗熊都不再转身反扑。你咬你的，我逃我的。实在被咬急了，就地打个滚，摆脱豺狼纠缠后，立刻又甩开大步朝小石山靠拢。

宁可被咬烂屁股，也要保全性命。

显然，吃一堑，长一智，小狗熊已经醒悟过来，明白兜圈子追咬，是狡猾的豺狼设置的圈套，自己再怎么努力，也是水中捞月，永远也不可能追上并拧断它们的脖子。追得越凶，圈套也就钻得越深，追得越久，自己变成豺狼食物的可能性也就越大。放弃反扑是最明智的选择，尽快逃到绝壁那个凹坑去，才是自己获救脱险唯一的希望。

狗熊虽然智商不如豺狼，可也是高级的哺乳类动物，也会总结经验，也会审时度势。

一转眼，小狗熊已跑出一大截路，离小石山仅有二十多米远了。

母豺火烧云无奈地哀叫一声，准备放弃这场狩猎。小狗熊识破它的阴谋，它已无计可施了。小狗熊不顾一切往小石山奔跑，拦是拦不住的，拖也是拖不住的，就这么一小段距离，就算豺嘴和狼嘴双嘴齐咬，就算咬得再狠再快，也绝无可能在小狗熊逃到绝壁凹坑前就将其咬得气绝身亡。除非发生奇迹，失败已成定局。

再强大的猎手，也不能保证次次狩猎都有收获。即使有百兽之王美誉的老虎，狩猎的成功率也只有七成。豺和狼这样的中型猛兽，十次追捕有五次能得手，已经算是不错的了。

当然，费了这么多时间和体力，眼瞅着猎物钻进圈套快要束手就擒了，冷不防发生变故，快到嘴边的美食不翼而飞，枉费心机，竹篮子打水一场空，确实有点儿遗憾。

唉，在险恶的丛林里谋生，挫折总是免不了的啊。

正当它想收敛豺腿终止这场注定要流产的猎杀时，突然，雌狼甜点心加速飞奔，一下子就蹿到小狗熊前头，凶猛地号叫，进行正面拦截。

甜点心毕竟年轻，血气方刚，容易犯急躁的毛病。

别说狼了，就是体魄强悍的山豹，也不敢迎面拦截一头愤怒的狗熊！

甜点心肯定是这么想的：小狗熊半只屁股差不多被咬烂了，半边身上全是血，走路都摇摇晃晃要倒不倒了，生命理应处于垂危状态，只要最后来一次猛烈扑咬，就能摧枯拉朽，送小狗熊上西天。

唉，对涉世不深的姑娘狼来说，关键时刻是很容易被假象迷惑的。

小狗熊并没有因为有狼拦截就停下来，仍径直往前奔跑。甜点心号叫着扑跃上来，两只狼爪搭在熊肩上，狼嘴照准熊脖咬下去。火烧云想阻止，却已经来不及了。甜点心扑跃的速度极快，一眨眼狼与熊已搂抱在一起。

甜点心确实表现得很勇敢，可是，勇敢过了头就是莽撞。飞蛾扑火，以卵击石，是愚蠢的自杀行为。

实事求是说，甜点心的扑咬动作非常漂亮，落点准确，气势磅礴，两只狼爪搭在熊肩的一瞬间，狼嘴便刺进狗熊下巴，狼牙就咬住了狗熊颈窝。假如猎物不是小狗熊，而是雪兔或山羊，这绝对是致命的扑咬，猎物垂死挣扎一番，便会窒息而死。熊就不一样了。狗熊脖颈又短又粗，在身体各个部位中，熊脖的脂肪层是最厚的，壮硕无比。普通狗熊，脖颈与脑袋一般粗，成年公熊，颈圈更大于脑袋。别说狼了，就是老虎，也休想一口咬穿狗熊颈窝。老虎捕食，通常都攻击猎物颈部，或从背后用强有力的颌骨将猎物颈椎拧断，或从前面咬住猎物的喉管使猎物窒息而亡，唯独在与狗熊搏杀时，老虎不咬熊脖，而是咬破熊的肚子置熊于死地。所以，甜点心虽然准确咬中了小狗熊的颈窝，却无济于事，狗熊照样呼吸顺畅，能进行有效反击。混战中，小狗熊两只熊爪按住了甜点心的胯部，张开大口就要朝狼腰咬去。狼是铜头铁腿麻秆儿腰，在狼身体的各个部位中，脑袋是最坚硬的，即使在偷羊时被牧羊人迎头棒喝，一棍子砸在脑壳上，也不会砸出脑震荡来，更不会被砸得脑袋开花。四条狼腿也具备很强的抗击打能力，即使牧羊人的棍子扫在狼腿上，也很少能将腿骨打断，照样奔跑如飞。唯有狼腰是个薄弱环节，狼腰纤细，腰部的脊椎也脆弱易断，牧羊人一棍子下去，就能打塌狼腰。熊嘴宽阔，小狗熊张开嘴来，刚好可以衔住整个狼腰，一口下去，假如咬个正着，狼腰必断无疑，甜点心就要变成一匹永远站不直的残疾狼了。

当甜点心从正面向小狗熊扑咬时，母豺火烧云一秒钟也没有耽搁，立刻跳到小狗熊背上，胡啃乱咬，企图减轻甜点心的压力。遗憾的是，小狗熊似乎懂得不能顾此失彼的道理，并不理会火烧云的啃咬，仍张大嘴巴朝狼腰咬下去。火烧云急红了眼，也来不及多想了，刚巧两只熊耳就在它嘴吻上方颤动，便一个跃挺，闪电般咬住一只熊耳，豺爪在熊背上拼命踢蹬，不让小狗熊咬下去。这一招还真灵，耳朵是血管与神经密集区域，也是熊身体的薄弱部位。熊耳小且圆，软骨薄脆，很适合豺来咬，一只熊耳刚好塞满嘴腔，尖利的豺牙咔嚓一下就能咬穿耳廓上的软骨，执狗熊耳犹如牵牛鼻绳，具有提纲挈领的效用。小狗熊整张脸都被扯歪了，脑袋被迫偏斜，疼得哇哇直叫，无法再朝狼腰咬下去。

嘿，最好能把熊耳咬下来，活吞熊耳，也算是难得的风味小吃了。

甜点心赢得了短暂而又宝贵的两秒钟，拼命踢蹬挣扎，总算从小狗熊爪下挣脱出来。

噬咬熊耳虽然效果显著，却蕴含极大的风险，其惊险程度不亚于虎口拔牙或老虎头上拍苍蝇。熊嘴和熊耳近在咫尺，只要小狗熊顺势一摆脑袋，啊呜就能反咬火烧云一口。火烧云见甜点心脱离险境，虽然还没能把熊耳咬下来，却也不敢再恋战了，活吞熊耳的风味小吃不吃也罢，立即松开豺嘴，想跳离熊背。但已经晚了，小狗熊已迅速扭转脑袋，一口咬住火烧云的左前腿。犹如万箭穿心，火烧云几乎要疼晕过去。咔嚓，隐隐传来腿骨断裂声。那熊嘴就像铁钳子，越咬越紧，恨不得要把它那条豺腿拆散了才过瘾。幸亏甜点心蹿了上来，拼命咬那条仅七八厘米长的熊尾，火烧云也举起豺爪直捣熊眼，小狗熊害怕自己变成断尾瞎眼熊，只好松开熊嘴。

火烧云赶紧从熊背上跳下来。落地时情况有点儿异常，身体无法保持平衡，摔了个大跟斗，好不容易挣扎着站了起来，那条受伤的前腿已经不听使唤，动弹不了了。

它的左前腿皮肉虽破损得不厉害，但腿骨高位断

裂，整条腿晃晃荡荡，一沾地就撕心裂肺地疼。它明白，自己这条腿已经被彻底咬断。这伤要不了它的命，但却有可能让它变成一只永远只能靠三条腿支撑身体、只能靠三条腿在大地上颠跛行走的残疾豺。

它仰天发出悲凉的啸叫。

那只小狗熊趁机摆脱豺狼纠缠，奔到小石山绝壁下，背靠凹坑，摆出负隅顽抗的架势。这家伙虽然遍体鳞伤，却都是些轻伤，性命无虞，也不会落下什么残疾。

现在，别说火烧云断了一条腿，即使它没受什么伤，也无法摆平小狗熊了。

偷鸡不成反蚀把米，捕猎不成反伤了自己，真是倒霉透顶。

风雪凄迷，冷得母豺火烧云直打哆嗦。再在此地待下去已没有任何意义，现在只有回大肚佛窟去。不管怎么说，洞穴温暖，它们可免受凛冽寒风和肆虐大雪的侵袭。母豺火烧云咬紧牙关朝山上走，它还不习惯用三条腿走路，走得比蜗牛还慢，一步一个趔趄，上坡下坡时，不慎踩着冰碴儿，便会摔倒在地，不时磕碰到那条伤腿，疼得它忍不住大声哀叫。

甜点心陪着它一起号叫，叫得很伤心。

直到半夜，它们才垂头丧气地回到大肚佛窟。

第十三章　獾口夺食

翌日晨，雪终于停了，但乌云低垂，老天爷仍没有云破天开的意思。动物也有气象知识，母豺火烧云知道，这是两场大雪的间歇，短暂的晴天，最多能晴到下午，老天爷又要大发淫威，降下鹅毛大雪来。

晴天当然要比下雪天容易捕获猎物。它和甜点心已两天没吃到东西了，必须抓住这难得的机会，外出狩猎，弄到可充饥的食物。不然的话，下一场大雪降临，再想寻找到食物，那就难上加难了。

它一条前腿断裂，连站起来都困难，当然无法外出觅食。

雌狼甜点心来到它身边，伸出舌头轻轻舔它的伤腿，它不晓得甜点心是在表示遗憾还是在表达慰问。甜点心一抡尾巴，蹿出大肚佛窟，出去觅食了。

中午，不见甜点心回来。下午，仍不见甜点心回来。

老天爷又开始下雪了，雪花漫天飞舞，纷纷扬扬，密密麻麻，从大肚佛窟洞口望出去，银装素裹，一片冰雪世界。

唉，别傻等了，甜点心不会回来了，火烧云想。彼此本来就没有血缘亲情，它已变成一匹废豺，已是累赘和包袱，甜点心当然会弃它而去的。完全有这种可能，甜点心辛苦了半天只捕捉到一只雪兔，本想带回来与它共享的，但追逐雪兔时耗费了不少体力，甜点心已两天没有进食，早已饿得眼睛发绿，守在一只刚刚断气的雪兔身边，当然会不断流口水。哦，先吃一条兔腿吧，这样就有力气把雪兔叼回大肚佛窟了，甜点心开始也许是这么打算的。于是，甜点心就在回家的路上，拆下一条兔腿来，也来不及品尝什么滋味了，三口两口吞进肚去。雪兔身上本来就没有多少肉，一条兔腿，也就是少得可怜的几两肉，刚够塞狼的牙缝。狼肚皮本来已饿得麻木了，有了些许兔肉填充，饥饿的感觉便卷土重来，胃囊痉挛，口水滴滴答答泉涌而出，越吃越饿、越吃越馋、越吃越想吃。于是，甜点心又卸下一条兔腿来，囫囵吞咽下去。甜点心必是修改了原先的打算，哦，把这只雪兔带回大肚佛窟，也是二一添作五，豺半只狼半只，那就把属于自己的半只雪兔先吃了吧。就这样，一只雪兔吃得只剩下半只了。

这时候，天色渐渐阴霾，北风紧吹，雪尘漫卷，眼瞅着又一场鹅毛大雪就要降临。高原狼虽是耐寒动物，冬季狼毛稠密，能抵御风雪侵袭，但孤狼在雪原行走，刺骨寒风阵阵吹来，也会冷得直打哆嗦。半只雪兔下肚，饥饿感倒是消失了，但并没有吃饱喝足的感觉，仅仅是不再饿得六神无主而已。要是肚子能再吃饱点儿，就像炉膛添了燃料，生命之火会烧得更旺盛，冷的感觉也就会减轻。估计甜点心会冒出这样念头，何不将半只雪兔再一分为二，带四分之一只雪兔回大肚佛窟，也已经算是尽到一份孝心了。于是，一只完整的雪兔只剩下四分之一了。快走到大肚佛窟，甜点心的脚步越来越迟缓，带四分之一只雪兔回家，明摆着是多吃多占，也许会招来指责与谩骂呢，吃力不讨好，何必自找没趣？这时，雪渐渐下大，天色也越来越暗，北风呼啸，看样子半夜会有可怕的暴风雪。甜点心又多了一分忧虑，这恶劣的鬼天气，也不知什么时候能再次放晴呢。火烧云一条前腿断裂，生活的重担全部压在它甜点心身上，它还只是个没有多少生活经验的姑娘狼，柔弱的身体也许会被压垮的啊。冰天雪地，觅食不易，自己糊口尚且困难，要再养活一只残疾豺，结局恐怕难免双双饿死。哦，这么大的雪，还是先在附近找个地方避避雪吧，冷静想一想再作进一步打算。于是，甜点心拐了个弯，蹿进僻静的荒山沟，找了个树洞钻进去。要是连续再下两三天大雪，这四分之一只雪兔也许就是渡过难关的救命粮！甜点心怀着一丝愧疚，打消了回大肚佛窟的念头。

母豺火烧云想象着甜点心是怎么一步步背弃它的，它觉得这不是杜撰，而是确确实实已经或正在发生的事实。

它伤心极了，也后悔极了。这件事从一开始自己就没做对，当初就不该留下这只漂亮的黄毛小狼崽，而应该像处置那只黑毛小狼崽那样一口咬死。就算把它留下来解决乳房胀痛的问题，也应该在断奶后果断将其抛弃，自己也就不会落到今天这样的下场。

唉，是多余的仁慈害苦了自己。

它最想不通的是，自己不晓得吃错了什么药，怎么想也不想就去咬小狗熊的耳朵，简直就是只傻到极点的弱智豺！骑到熊背上咬狗熊的耳朵，跟自杀也没什么区别了啊。当时它真不该如此冲动的。自己只要假装招架不住狗熊凌厉的攻势，往后闪一闪，不，只要假装滑倒，放松攻击的节奏，甜点心就算玩完了。它若不去咬熊耳，现在孤苦伶仃躺在大肚佛窟里的就不会是它，而是雌狼甜点心了。它不仅不会变成断腿残疾豺，而且还不需要再去考虑搬家迁移，一切烦恼和潜在的威胁都会化为乌有。它不必承担罪责，也不受感情折磨。本来嘛，就不是它率先向小狗熊发起攻击的，而是甜点心自作主张朝狗熊扑咬过去的。虽然是半大的狗熊，力量也比豺和狼大得多。逞能去攻击狗熊，想出风头，想做英雄，酿成悲剧，那是你自找的，怪不得谁。与强敌周旋，疏漏难免，受伤难免，失败难免。

唉，在生与死的节骨眼儿上，自己怎么会这么糊涂，去咬狗熊的耳朵，把祸水引到自己身上，真是一失足成千古恨。时光不会倒流，现在，后悔也晚了，只好打落牙齿往肚里咽。

它缩在大肚佛窟底端，仍感觉寒冷彻骨。腹中空空，已饿得头晕眼花。大肚佛窟里除了石头，一无所有，火烧云明白，自己站都站不起来，只有等着活活饿死。

突然，静谧的山野传来嚓嚓嚓轻微的声响，似有什么东西在雪地奔跑，声音由远而近，是冲着大肚佛窟来的。它挣扎着爬到洞口，天色昏暗，雪花凄迷，来者快到洞口了，它才看清，原来是甜点心回来了！

这不是在做梦吧，甜点心还拖回来半只黄麂呢！

甜点心背上积着厚厚一层雪，眉睫、脸颊和胡须上也挂满冰霜，跨进大肚佛窟，咕咚就趴倒在地，看得出来，体力已消耗殆尽了。

火烧云注意到一个细节，甜点心就像出门时一样，肚子空瘪瘪的，说明它在获得猎物后，舍不得先填充自己的辘辘饥肠，而是直接将食物拖回大肚佛窟来了。

一股暖流在火烧云心中回荡。甜点心没有忘记它的养育之恩，冒着这么大的雪为它找寻猎物，它的心得到了极大慰藉。总算没有白疼甜点心一场啊。它爬到甜点心身边，用爪子挥去甜点心背上的积雪，唉，真是个傻姑娘，下这么大的雪，干吗要急着赶回来呢？你应当找个树洞先避避雪，等雪下得小一点儿再回来也不迟啊。还有，既然获得猎物，你就应该先撕条麂腿来吃，肚子里有食了，才有力气翻山越岭，在雪地行走也不会感觉这么冷了。

让它有点儿疑惑的是，甜点心第一次单独外出猎食，怎么就能捕捉到黄麂呢？黄麂是一种嗅觉与听觉特别灵敏的动物，身体约有两只雪兔这么大，只要稍有风吹草动，便会躲进密不透风的灌木丛，即使在一览无余的雪原发现黄麂，追捕起来也非易事。黄麂属于麋鹿类动物，长着四条细长的腿，身体轻盈，奔跑如飞，单个的豺或狼，是很难追上并咬断黄麂的脖子的，一般来说，只有夫妻豺或狼群才能成功围捕黄麂。还有一个疑惑，怎么只有半只黄麂呢？甜点心肚皮贴着脊梁骨，根本没进过食，另半只黄麂到哪里去了呀？也许，是运气特别好，捡到别的野兽吃剩的食物？这种可能性不大，冰天雪地，觅食不易，没有谁会舍得把这么好的食物丢弃的。再说，黄麂肚子被咬开了，虽因天气寒冷创口的血早已凝固，但还是看得出来，血的颜色鲜红，伤口上的牙痕也很醒目，属于刚刚宰杀不久。

豺对气味极其敏感，习惯用嗅觉来调查取证。半只黄麂已冷却成冰冻肉块，气味被冰雪掩盖住了，它用热乎乎的舌头舔融黄麂身上的伤口。哦，醒目的牙痕上，不是甜点心的气味，而是一股特别的气味，腥臭无比，还有一点儿狐骚味。豺有一种特殊的本事，豺脑记忆区域里有一张完整的气味图谱，豺鼻嗅闻到某种气味，立刻会在大脑的气味图谱里自动搜寻，准确识别出这是谁的气味。不错，这是狼獾的气味。它识别出来了，如此腥臭并带点儿狐骚味的难闻气味，肯定是狼獾无疑。

它又查验甜点心的身体，脖颈和背脊上有好几条抓痕，尾尖上一撮狼毛似乎也被咬掉了，显然是经过了一番殊死搏斗。在毛丛间仔细嗅闻，也能闻到狼獾的气味。

狼獾虽然带着狼字，却与狼没有任何瓜葛，既非狼的亲戚，血缘也相去甚远，和狼属于完全不同的两种动物。狼獾是一种食肉性獾类动物，虽然体胖肢短，身体和豺差不多大小，却异常凶猛，长着一副能咬碎野牛骨头的钢牙，毛密皮厚，爪子像猫科动物一样又长又尖，是滇北荒原上出名的拼命三郎。不管与谁发生冲突，狼獾都会不顾一切攫抓住对方撕咬，死也不会后退半步，因此，许多比它强壮高大的食肉兽都怕它，不敢与其交锋。

从狼獾口中夺食，需要何等的勇气和智慧。

人类总是把最凶猛、最恶毒、最残忍的东西与狼联系起来，明明是獾类，却要叫狼獾；还有一种开红花的有毒植物，也起名叫狼毒花；把险恶的山称为狼牙山；把人类互相残杀的战争称为狼烟突起；把野心勃勃的坏人比喻狼子野心；把良心黑了的人比喻为狼心狗肺；把出尽洋相的坏蛋比喻为狼狈不堪；把强盗放进门来叫引狼入室……这无疑是强加在狼身上的罪名，将来如果地球上有生命法庭，狼完全可以告人类一个侵害名誉罪。

母豺火烧云想象着甜点心是如何从狼獾口中得到这半只黄麂的。

甜点心一早出门，满怀希望去到尕玛尔草原，可是孤身一狼，势单力薄，狩猎技艺又不够精湛，虽然几次发现猎物，雪兔、斑羚、野雉，就在前面不远的雪地上晃动，但追了半天却让猎物从自己的鼻子底下溜走了。

忙碌到下午，仍一无所获。天色渐暗，眼瞅着大雪又要飘落，甜点心心急如焚。就在它垂头丧气准备返回大肚佛窟时，在山崖下见到那只狼獾。这肯定是一只体格健壮的狼獾，皮毛黑亮就像黑釉瓷器，富有狩猎经验，嘴里叼着一只刚刚断气的黄麂。猎物还在滴着血，空气中弥散开一股甜甜的血腥味。它心痒眼馋，忍不住滴口水。狼獾属于天不怕地不怕的愣头儿青，并不把孤狼放在眼里，仍叼着黄麂大摇大摆往树林里去。甜点心实在饿得受不了了，冲上去抢夺黄麂。狼獾可不是好惹的，奋起反击。两个回合下来，甜点心脖子就被抓出好几道血痕，尾巴也差点儿被咬断。它虽然吃了点儿亏，却不肯就此放弃，仍奋不顾身扑上来抢夺。

甜点心肯定是这么想的，得不到黄麂，不仅它有可能会成为雪地饿殍，受了伤躺在大肚佛窟的火烧云也会活活饿死。抢不到黄麂必死无疑，抢得到黄麂就能拯救两条性命，当然要拼死抢一回了。狼獾走到哪里它就跟到哪里，一有机会就扑上去抢夺，纠缠不休，誓不放弃。双方周旋了两个多小时，天下雪了，雪花在凛冽的北风中飞舞，天地一片白茫茫。黄麂虽然还在狼獾手里，但狼獾心情比这天气更恶劣。甜点心像幽灵似的在它身边转来转去，赶又赶不走，咬又咬不死，讨厌透了。雪下得这么大，虽然狼獾属于高原耐寒动物，但置身于暴风雪中，仍然有寒冷彻骨的感觉。狼獾肯定也是饿着肚子。最让狼獾无法忍受的是，没法去吃叼在嘴里的黄麂，饿狼甜点心随时可能扑上来抢夺，只有不停地走啊走啊，心里别提有多烦躁了。完全有这种可能，这是一只带崽的母狼獾，某个树洞或岩缝里藏着一窝嗷嗷待哺的小狼獾，母狼獾急着要回家喂小狼獾，却被甜点心死死缠住脱不开身，心急如焚却又无计可施。这时，天色幽暗，已近黄昏。当甜点心再次蹿上来咬住小黄麂脖颈时，母狼獾没再张牙舞爪朝甜点心撕咬，而是叼住小黄麂的腿用力拉拽。在双方多次噬咬扭拽中，小黄麂腰部已被咬得开裂。狼獾和狼，一个咬住猎物的后腿，一个咬住猎物的脖颈，展开一场拔河比赛，一阵猛烈拉扯，小黄麂从腰部断裂，分成两半。甜点心大功告成，叼起半只黄麂赶快溜之大吉。背后传来母狼獾愤懑的吼叫声，但却并没追上来争夺。对母狼獾来说，平白无故被抢去一半食物，当然怒火万丈，恨不得生啖狼肉活饮狼血。但狼獾与狼属于同一档次的中型猛兽，狼獾对狼并不占据压倒性优势。假如舍不得放弃这半只黄麂，就不能平平安安把另半只黄麂带回家去喂小狼獾。衡量轻重缓急利弊得失，二一添作五，妥协肯定是明智的选择。

在动物界，两强相遇，谁也吃不掉谁的时候，结局往往就是妥协。

为了替它弄到活命的食物，甜点心舍得拿命去拼搏。一股暖流在它心中回荡。它吞咽着黄麂肉，从未觉得有这么好吃，从未吃得这么香甜。

半个月后，火烧云皮肉的伤已经痊愈，断腿也不再疼痛，勉强能站立起来。但那条伤腿已畸形萎缩，比正常的腿短了两厘米，丑陋得就像一根细细的枯树枝。膝关节僵直，已无法奔跑，只能一瘸一拐小步走动，而且很难保持平衡，风大一点儿就能把它吹倒。它已彻底丧失猎食能力，已无法自食其力。

只有靠甜点心单独外出狩猎，带回食物来养活它。

第十四章　惨遭鹅欺

太阳一天比一天缓和，冬天已成强弩之末，雪线在往山顶退缩，尕玛尔草原快要开春了。嫩绿的草芽在残雪下悄悄破土而出，冬眠的蛇已开始在山沟缓慢游走。

这天深夜，母豺火烧云睡得迷迷糊糊，突然，听见远处隐隐约约传来狼嚎声。它心头一惊，睡意顿消，支起两只耳朵谛听，“呦——嗷——嗷——呦”，果然是豺最讨厌的狼嚎声。嘶哑尖刻，粗俗难听，还怪声怪调流里流气，不难分辨是求偶心切的公狼在叫。再仔细听听，好像还不止一匹公狼，东、西、北都有类似的号叫声，起码有三匹以上的大公狼在不同方位起劲地号叫，标准的情歌小合唱。火烧云就躺在大肚佛窟洞口，抬头望望天，启明星正在漆黑的夜空闪耀，已是凌晨时分，再过一会儿天就要亮了。即使是夜行性动物，此刻也应该春眠不觉晓了，只有想老婆快想疯的光棍狼，才会在这个时候还像夜游神似的在山野游荡号叫。显然，甜点心前段时间用尿液和残毛张贴的征婚广告起作用了，好几匹公狼都削尖脑袋想方设法要往情网里钻呢。它扭头偷偷瞄了一眼睡在身边的甜点心。绿莹莹的眼睛忽睁忽闭，显然，根本就没睡着，正在欣赏公狼们的情歌，说不定还在做着春闺香梦呢。

哦，甜点心到了思春期，想谈恋爱了啊。

对大多数动物而言，春天气候转暖，食物日渐丰盈，饱暖思爱，春天自然就是发情交配的季节。初春嘛，当然就是谈恋爱找配偶的时光。

假如甜点心是自己的亲生豺女，母豺火烧云会感到由衷的高兴。女大不中留，这句话对豺或狼同样适用。女儿大了，迟早是要离家出走，建立自己的新生活。刚刚发育成熟，就有异性前来追求，说明女儿如花似玉很有魅力，为娘的当然要为生了这么个出众的女儿而自豪。可此时此刻，母豺火烧云心里非但没有喜悦，反而有一种如临深渊的恐惧感。它觉得自己离死亡已经不远了，甜点心一旦有了感情归宿，恐怕不会再来管它的死活，当然也就不会再带食物来养活它这只毫无用处的废豺。

久病床前无孝子，更何况是一匹和它没有血缘关系的雌狼。

它当然愿意继续活着，当然愿意甜点心永远厮守在它身边，给它猎取可以填饱肚子的食物。好死不如赖活，苟延残喘总比死掉要好啊。可它明白，甜点心不是那种守身如玉对异性不感兴趣的独身主义者。恰恰相反，甜点心对异性饶有兴味，都熬到凌晨了还不睡觉，还在欣赏远处公狼们的情歌小合唱，急不可耐地想早恋呢！它是一只残废豺，无力阻挡甜点心到外头去恋爱鬼混，更无力阻挡色眯眯的公狼们前来拈花惹草。唉，它所剩的时间不多了，生命进入了倒计时。它虽然想得很悲观，奇怪的是，却并不怨恨甜点心。小家伙只是按照生命的正常轨迹在成长，它没有太多的理由去怨恨。自从它残废后，甜点心养活了它一个冬天，也算是回报了它的养母情，它的心已得到慰藉。

天要下雨，女儿要出嫁，这是没法子的事。除了顺从命运的摆布，它还能怎么样呢？

天亮后，远处公狼的情歌小合唱才渐渐停止。

又过了半个月，积雪融尽，化作春水滋养着绿草红花，日曲卡山麓一派明媚春光。

雌狼甜点心外出狩猎的时间越来越长，常常清早出去，一直要到天黑才回来。甜点心身材越来越健美，完全是青春派成熟的雌狼了，狩猎技艺也突飞猛进，日臻完善。春天，各种迁徙到南方过冬的候鸟和食草动物纷纷返回尕玛尔草原，对狼来说食源充足。凭甜点心的胆魄与身手，运气好的话一两个钟头即可捕获猎物，运气差的话三四个钟头也能把食物带回家了。甜点心整天泡在外面，绝非是在为猎物奔忙，肯定是在玩耍。究竟在玩什么名堂，母豺火烧云心知肚明——绝对是在玩爱情游戏，越玩兴致越高，都玩得忘了要回家了。

这天，同往常一样，甜点心踏着晨光外出觅食，不到两个小时，艳阳还高照呢，突然就拖着一只刚断气的珍珠雉回大肚佛窟来了。这么早就回家，太阳从西边出来了，母豺火烧云不由得微微吃惊。当它撕吃珍珠雉时，甜点心突然又撒腿跑了出去。这又是不同寻常的举动。正常情况下，甜点心带回猎物后就不再外出，会留在大肚佛窟同它一起享用食物。

母豺火烧云心头隐隐不安，有一种预感，豺母狼女这一段特殊情缘真的要画上句号了。

果然如它所料，当天夜里，甜点心没回来；第二天它等了整整一个白天，甜点心仍然没回来；第二天夜里，甜点心还是没回来。

哦，甜点心是去收情网了。普遍撒网，重点捉鱼，现在正是重点捉鱼的好时候。

它能想象甜点心正在做什么。情网肯定罩住一匹年轻英俊的公狼，称之为白马王子也可以。两只狼形影相随，情投意合缠绵悱恻，共度新婚蜜月。

按狼的习性，雌狼一旦名花有主，得了配偶，便离家出走，与父母分家，独立门户，从此不再回来了。

狼社会不兴回娘家，也没有尽孝尽到底的事。母豺火烧云不再期待甜点心回家。一切都结束了，没有谁会再带食物来给它吃。那只珍珠雉早就吃得连骨头都不剩半根，它想活下去的话，只有设法自己出去找食。

第三天上午，它拖着那条伤残的腿，一瘸一拐从日曲卡山麓去到尕玛尔草原，走得很艰难，下陡峭的山坡时，摔了好几个跟斗。正是春意盎然的季节，一路上望见不少羚羊、野猪和雪兔，它是只瘸腿豺，望尘莫及，只能流口水而已。它指望自己能碰到一头刚刚咽气的马鹿，哦，是被其他食肉猛兽咬伤后侥幸逃脱的马鹿，逃着逃着，血流干了，或者伤口发炎溃烂得了败血症，倒毙在树林或草丛。它祈求老天爷大发慈悲，能让它捡到这么个大便宜。可是，从上午走到下午，别说刚刚断气的马鹿了，就是腐鼠也没找到半只。

想捡到受伤后刚刚咽气的马鹿，要具备许多先决条件：碰巧那只捕猎的猛兽本领不太高强，让马鹿从爪牙下逃脱；碰巧那只捕猎的猛兽患感冒什么的，鼻子失灵，无法嗅闻马鹿的气味跟踪追击；碰巧马鹿受的是致命伤，但受伤初始却并不影响奔跑速度，逃离猛兽的追逐后，却突然伤痛加剧，血流如注，魂断奈何桥；碰巧马鹿所在的位置，就是它火烧云寻觅的路线；碰巧在它火烧云到达前，没有其他饥肠辘辘的野兽途经此地……这一连串的巧合，才能造就一个捡食到马鹿的机会，就好比买彩票，七组数字完全写对才能中奖，概率是极低的。

母豺火烧云在一片黄麻地里找到一只鼠洞，洞边腐土上有新鲜的田鼠足迹，豺鼻在土洞前嗅闻，闻到一股浓烈的鼠味。显然，有田鼠藏在这个土洞里。豺不是蛇，也不是紫貂，可以钻进土洞去擒拿躲藏在洞内的猎物。它只有趴在土洞边的黄麻丛里，耐心等候田鼠出洞，撞到自己的豺嘴里来。等了约半个多小时，土洞里传来窸窸窣窣的声音，不一会儿，土洞口出现几根灰色鼠须和粉红色鼠嘴，全方位抖动。这是田鼠的一种侦察方式，用胡须和鼻子来弄清土洞周围有无可疑动静，然后决定是不是跑出来觅食。弱小动物都有强烈的自我保护意识，行为诡秘而谨慎。火烧云当然是趴在背风的黄麻丛里，凝神屏息，田鼠再狡猾也休想发现它。粉红色的鼠嘴渐渐升高，露出两只鼠眼，骨碌碌转动，四处张望。火烧云绷紧肌肉，暗中做好扑击准备。就在这时，突然传来猛禽尖锐的啸叫，一只棕褐色的鹰隼，恰巧从天空掠过，那田鼠立刻将脑袋缩回土洞，倏地不见了。其实，那鹰隼起码在两百米上空飞翔，飞行线路也偏离鼠洞很远，对田鼠还构不成威胁呢。唉，胆小如鼠，鼠辈确实胆子小得无法形容，或许可发明一个新名词：纳米胆。

鹰隼很快飞得无影无踪，黄麻地恢复了先前的宁静。火烧云舍不得放弃这顿快要到嘴的晚餐，仍静静趴在黄麻丛里，守候在土洞边。又过了半个多小时，那只田鼠重新在土洞口出现，同刚才一样，用胡须和鼠嘴窥探了一阵，没发现什么异常动静，这才哧溜蹿出土洞，跑进黄麻丛来觅取浆果草根。这是一只肥硕的大田鼠，圆滚滚胖嘟嘟的身体，足足有一斤多重，够它小吃一顿的啦。火烧云嘴角滴着口水，准备捕捉。

假如是只四肢完好无损的健康豺，捉田鼠的过程应该是这样的：跳过去用四只豺爪拼命踩踏，一阵胡撕乱抓，总会有一只豺爪踩伤田鼠的腰或踏伤田鼠的腿，当田鼠被踩踏得晕头转向时，豺嘴一口咬住田鼠脖子，美味佳肴就算到手了。可火烧云瘸了一条腿，按传统的捕鼠方式，残腿没法保持平衡，踩踏不成反倒会让自己跌个大跟斗。它只能采取新的捕鼠方式，靠两条后肢的力量扑出去后，整个身体压在田鼠身上，将田鼠压倒压伤。

田鼠贼头贼脑来到离它约一米半远的地方，专心致志啃咬着甜蜜素含量颇高的黄麻根。这是一个有效的扑击距离，贪吃的田鼠还没发现它，也是最佳偷袭时机。它闷声不响，不宣而战，两条后腿在地上猛烈一蹬，照准目标蹿了出去。它果真用自己的身体盖住了田鼠，可恼的是，当它将身体重重往下压时，那条残肢磕碰了一下，一阵刺骨剧痛传来，它的肩膀不由自主抽搐，身体底下露出一条缝隙，狡猾的田鼠刹那间从缝隙中钻逃出去，飞快地逃回土洞里去了。那条鼠尾在土洞口摇晃了几下，像是在讥讽它的无能。

数小时的等待和希望，像肥皂泡般破灭了。

那田鼠受了惊吓，恐怕永远不会再在这个土洞口出现了。

再在此地待下去，已没有什么意义。母豺火烧云垂头丧气离开黄麻地，跑到沼泽地边缘，希望能找到蜥蜴、四脚蛇之类的小动物充饥，遗憾的是，在水边找了一圈，却什么也没找到。它发现有一对锦鸡正在潮湿的草地上刨食虫子，没等它跑过去，锦鸡就扑扇翅膀飞到树冠上去了。它走到锦鸡刨食的地方一看，有一条蚯蚓被鸡爪从泥土中翻刨出来，还没来得及被鸡喙啄食掉，正在黑色的沙土间扭曲蠕动。唉，吃不到锦鸡，蚯蚓也是肉啊。它叼起那条蚯蚓咀嚼，有股很重的土腥味，味道实在不敢恭维。但不管怎么说，总算有东西可吃了。假如真能掘出一大堆蚯蚓来，倒也不失为一种有效的谋生手段。唉，八面威风的食肉猛兽，竟然堕落到像野鸡一样挖蚯蚓维持生命，实在太丢脸了，真是悲哀啊。可为了活命，它已顾不上考虑面子问题，能活下去是最重要的，暂且把猛兽自尊心抛置一边吧。它用嘴拔起草皮，然后用豺爪掘土。它一条前肢残废，只能勉强用一只后爪挖掘，严重影响掘土速度。加上它是第一次挖蚯蚓，缺乏经验，搞不清哪块草皮下有蚯蚓哪块草皮下没蚯蚓，乱挖一气，花了很多冤枉力气，挖了半天，才挖出两条十厘米长的蚯蚓来。所获得的微薄营养，还不够补充所耗费的体力呢。它泄气了，气喘吁吁地趴在地上，放弃这得不偿失的努力。

动物也会盘算成本与利润，这种明显亏本的生意，当然不值得再做。

天哪，到底怎么才能弄到一顿果腹的晚餐呀？

这时，暮霭降临尕玛尔草原，天要渐渐黑下来了。挖了半天土，不仅筋骨酸疼，肚子更是饿得一阵阵发慌。那片辽阔的沼泽地，最后一片晚霞落在水面上，晚风吹皱一池春水，波光粼粼，碎金点点，就像一幅重彩浓墨的油画。母豺火烧云空着肚皮，当然无心欣赏这如画美景。动物都是很现实的，不能充饥的东西再美也是白搭。天空传来翅膀振动的声响，它抬头望去，哦，是一只黑天鹅，在晚霞中飞翔。它馋得流口水，可它明白，瘸腿豺想吃天鹅肉，那是痴心妄想。黑天鹅飞越一段水域后，降落到离岸边不远的芦苇丛。春天，芦苇还没长茂盛，母豺火烧云看得很清楚，另一只黑天鹅，在芦苇滩前翘首摆颈，欢迎在暮色中归巢的黑天鹅。毫无疑问，这是一对夫妻天鹅，一方外出觅食，另一方留守窝巢。为何这对夫妻天鹅不一起外出觅食？答案肯定是，窝巢里有天鹅蛋！

它了解黑天鹅的生活习性，春天从遥远的南方飞回尕玛尔草原，立刻就会抓紧时间产卵抱窝，争分夺秒养育后代，尽量在初夏时节孵出雏鹅，这样就能抢在深秋严寒到来之前，将小天鹅哺育大，保证能跟随族群飞到南方去过冬。

想到这里，母豺火烧云心头一阵发热，燃起新的求生希望。

它是肯定吃不到天鹅肉的，却是有可能吃得到天鹅蛋呀！

这一片沼泽地，冰雪融化形成的春汛已经过去，夏天雨季还没来临，正处于相对的枯水季节，水很浅，不用泅渡徒步即可走过去。这里尚属沼泽的边缘地带，水底下只有几块深不可测的死亡泥潭。它曾经去过那片芦苇滩，熟悉路径，只要顺着七八块草丘连成的那条曲线走过去，保证不会陷进死亡泥潭。

它想，它踏上芦苇滩后，黑天鹅会惊慌地飞到天空逃遁，它就可趁机钻到窝巢去吃天鹅蛋。一般来说，雌天鹅一茬产两枚蛋，一枚天鹅蛋有两枚野鸭蛋大，蛋壳厚实，不易咬碎。它可以先在窝巢附件找块有棱角的石头，咬住石头将一只天鹅蛋砸破，先吃掉一只天鹅蛋，充充饥，然后再衔住另一枚天鹅蛋，从从容容撤退，带回大肚佛窟慢慢享用。

它打起精神，蹚着齐膝深的水，朝那片芦苇滩摸去。水下草墩凹凸不平，圆滚滚的卵石上长有滑溜溜的青苔。它三条腿行走，走几步就要滑倒，磕磕绊绊，走得极其艰难。走了约一半路程时，芦苇滩传来吭吭吭响亮而急促的鸣叫声，很快，惊慌的叫声响成一片，苍茫暮色中，看得见有好几只天鹅在扑扇翅膀，像是要准备起飞。这情景在它的预料之中，黑天鹅是族群聚居的动物，若干个小家庭组合成一个大家族，夜晚有专门的哨兵，警戒放哨，负责整个大家族的安全。显然，是警惕性颇高的哨兵发现了它，向其他黑天鹅发出报警的叫声。它继续向芦苇滩走去，在它的经验里，黑天鹅属于性格孱弱的动物，一旦遭遇豺狼等猛兽袭击，便会弃巢逃命。

管你怎么鸣叫，即使把清脆的喉咙叫哑了，我还是要吃你们的蛋！

它又磕磕绊绊往前走了一段，离芦苇滩仅有二三十米了。这时，有一只黑天鹅振翅飞翔，在夜空中发出高亢的叫声。这是一只嘴喙金黄、身体壮硕的黑天鹅，看得出来，是这群黑天鹅的首领，姑且称作金嘴首领。随着金嘴首领的鸣叫，很快芦苇滩噼噼啪啪响起翅膀拍打声，十几只黑天鹅冲天而起，跟随第一只起飞的黑天鹅，飞到它的头顶盘旋，“嘎嘎，吭吭！”集体愤怒地鸣叫。

母豺火烧云晓得，黑天鹅是在诅咒它。嘎嘎，短命的红毛豺；吭吭，可耻的偷蛋贼。它听了一点儿也不生气，骂是骂不疼的，只要能吃到天鹅蛋，即使挨骂一千遍一万遍，它也无所谓的。你们骂得再凶，我只当是你们在唱歌给我听，一场免费音乐会。

突然，金嘴首领飞临它头顶，尾羽撅翘，掉下一坨东西来，不偏不倚掉在它的鼻梁上，热烘烘、黏糊糊、臭兮兮，原来是在朝它头上屙屎啊。其他黑天鹅也跟着效仿金嘴首领，噗噜噗噜，从空中向它喷掷粪便。它还是第一次领教黑天鹅的喷粪战术，还挺有技巧的，翅膀微敛，俯冲而下，在空中划出一道漂亮的弧线，飞到离它头顶约两三米的地方，屁股一撅就喷下粪来。它们似乎还会计算提前量，粪便准确掉在它身上，大部分还掉在头上，很少有落空的。很像是一群轰炸机在扔炸弹，所不同的是，黑天鹅的粪便炸弹炸不死豺。一个劲儿地往人家头上屙屎，也太不讲礼貌啦。臭是臭一点儿，脏是脏一点儿，可只要能获得混饱肚皮的食物，臭一点儿脏一点儿又有什么关系呢。它正在水里行走，身上落了粪便，在水里洗一洗，一洗就洗干净了，挺方便的。

很快，母豺火烧云便越过水面，踏上那片芦苇滩。豺眼雪亮，刚登陆就看见十几步开外有一个用树枝和干枯芦苇叶搭建的窝巢，里头有两枚青灰色的天鹅蛋。它兴奋得忘乎所以，用瘸腿豺所能跑出的最快速度，奔跑过去。应了句乐极生悲的古话，天色昏暗，它跑得太急，没看见前面有个凹坑，一脚踩进去，重心倾斜，残腿无力支撑身体的重量，咕咚栽倒在地，咬紧牙关挣扎了好几下，这才重新站立起来。还没等它站稳，金嘴首领突然从它背后俯冲下来，鹅掌在它背上猛烈踢蹬，它站立不稳，啪地又摔倒在地。

金嘴首领长长的脖颈骄傲地翘向天空，两只翅膀优雅地摇扇着，在空中发出吭吭嘹亮的欢呼声。就像是吹响了战斗号角，所有的黑天鹅骤然间都像吃了豹子胆，从四面八方俯冲下来，有的用鹅掌踢蹬，有的用翅膀拍打，有的用嘴喙啄咬，轮番向母豺火烧云发起进攻。

正常光景下，黑天鹅是不敢招惹豺的，从来就只有豺袭击黑天鹅，没听说过黑天鹅会奋起反击豺。母豺火烧云过去也曾到这片芦苇滩来偷窃过天鹅蛋，窝巢遭到豺的洗劫后，黑天鹅最多也就会在空中愤怒鸣叫而已。现在这种情况，实在是前所未有、闻所未闻。它心里明白，不是黑天鹅吃了豹子胆变得勇敢了，而是它自己变得软弱可欺了。金嘴首领肯定从它瘸瘸拐拐的走路姿势和摔了个大跟斗的狼狈模样里，看出它是只丧失狩猎能力的残废豺，所以才敢如此嚣张地率领黑天鹅群向它发起攻击的。

虽然鹅掌算不上毒辣，再用力踢蹬也顶多在豺背上抓出几条血痕来；虽然鹅翅算不上厉害，再猛烈拍打也伤不了豺的筋骨；虽然鹅嘴扁平也缺乏啄咬的力度，再怎么咬最多一嘴也只能拔掉一小撮豺毛，可十几只黑天鹅长时间围着它攻击，却也够它受的。它只有三条腿，

本来重心就不稳，一次一次被鹅掌蹬倒，根本不允许它站立起来。强有力的天鹅翅膀在它身边拍扇，扇起一团团尘埃，灰尘吹进它眼睛里，难受得要命。鹅嘴不仅啄它的背、拔它的毛，还不时有胆大妄为的家伙，用喙咬住它的耳朵，用力拧拉，疼得它眼冒金星。它晓得，它只要能跳蹿起来，表现出豺的狰狞面目，猛地咬断其中一只黑天鹅的脖子，就能威慑群鹅，扭转战局。可是，它连站都站不起来，根本就没法进行有效扑咬。最后一抹如血残阳消失了，黑色夜幕笼罩大地，能见度越来越低。黑天鹅羽毛的颜色当然是黑色的，黑色的物体在黑色的夜空飞翔，影像模糊不清，目标难以辨认，也影响它的反抗能力。它躺在地上，胡乱噬咬，只咬到几片黑色羽毛。它的无能与落魄，助长了黑天鹅的嚣张气焰，攻势更为凌厉了。

哎哟哟，黑天鹅历来是豺食谱上的传统佳肴，怎么可以倒过来收拾豺呢？豺吃天鹅是天经地义，天鹅杀豺是弱者暴动、犯上作乱！

豺遭天鹅欺，气死豺也。呦呦，呦呦，我要咬下你们的脑袋，做风味烧鹅头；我要咬下你们的脚掌，做蜜汁酱鹅掌；我要咬下你们的翅膀，做麻辣卤鹅翅！

它汹汹啸叫，嗓子都快叫破了，但那些黑天鹅并不理会它的谩骂与威胁，仍群起而攻之。这样下去，它非但吃不到天鹅蛋，恐怕自己都要被碎尸万段成为这群黑天鹅的食料了。一只活生生的豺被一群黑天鹅猎杀，这在动物史上也是绝无仅有的稀奇事啊。就算它侥幸不死，再待下去的话，也难免会被这些疯狂的黑天鹅啄光身上的豺毛，变成一只丑陋的赤膊豺。只有溃逃，才是摆脱困境的唯一办法。识时务者为俊杰，这句话对豺也同样适用。

它跌跌撞撞连滚带爬退回到沼泽地，在水中艰难跋涉，向对岸奔逃。黑天鹅们紧追不舍痛打落水豺。黑天鹅属于游禽类动物，根本就不怕水，在水中的威力不亚于在空中的威力。忽而从空中滑翔攻击，忽而从水面扑腾冲锋，上下夹攻，立体打击，搅得波起浪涌水花四溅，它无法站稳，呛了好几口水，摔得七荤八素，狼狈极了。回程路总算走完三分之二，这时，金嘴首领又从天而降，一双带蹼的鹅掌在它脖颈蹬了一下，它又摔翻在半米多深的水里，灌了一大口泥浆。当它翻爬起来时意外发现，金嘴首领不知怎么回事，就浮在它身旁的水面上。天还没完全黑，它看得很清楚，金嘴首领一只翅膀折转，像帆似的竖直，一只鹅掌也倒扭着抻出水面，身体痛苦地旋转，金黄色的嘴壳里发出吭哼吭哼惊慌失措的叫声。它的第一个反应，金嘴首领从空中用蹼掌蹬踢它的动作用力过猛，不小心撞在水下的石头或草墩上，受伤了。它的第二个反应，老天爷慈悲，给了它一个反败为胜的机会。它与金嘴首领贴得极近，几乎一张嘴就可以咬到鹅屁股，不咬白不咬哪。它虽然腿脚不方便，但这么近的距离，肯定能准确地扑到鹅背上去。黑天鹅的脖子又细又长，是最佳攻击目标，只要咬住鹅脖子用力一拧，咔嚓，就能将颈椎拧断，黑天鹅变成黑死鹅。咬翻金嘴首领，不仅能吓退其他黑天鹅，使它摆脱被动挨打的困境，还能报仇雪恨，出出豺被鹅欺憋在心里的这口窝囊气。更重要的是，猎获一只黑天鹅，也不枉辛苦一场，带回大肚佛窟，节省点儿吃的话，维持三五天不成问题。

没什么可犹豫的，它用力扑蹿，哈哦，果真如它所期待的那样，它成功扑到金嘴首领的背上。稍稍有点儿遗憾的是，豺嘴只咬到鹅翅与鹅颈交汇处的羽毛，没能完全咬到位。它两条后肢紧勾住鹅屁股，一条前肢插进鹅翅下面，尽量使自己保持平衡，身体准备再往前挪一挪，只要再往前挪两寸，就能咬到致命的鹅脖子。

它整个身体都压在鹅背上，把金嘴首领压得沉到水底。其他黑天鹅看到大事不妙，惊恐万状地鸣叫，鹅心大乱，有一只雌天鹅还飞逃回芦苇滩去。

这是胜利的前奏，凯旋的序曲。

就在这时，意想不到的事情发生了。金嘴首领那只翻转的翅膀突然间扭正过来，扭转并抻出水面的那只鹅掌也同时恢复正常，脖颈笔直翘向天空，受伤的迹象荡然无存，嘎嘎地亢奋鸣叫，叫声自信而有气势，一双翅膀噼啪噼啪奋力摇动，两只蹼掌也吧嗒吧嗒用力划水，似飞翔又像游泳，用一种奇特的姿势运动起来。

母豺火烧云骑在鹅背上，本想往前挪两寸的，金嘴首领突然动弹，它重心立刻摇晃，不可能再完成往前挪的动作了。出于本能的反应，它只有继续咬紧鹅翅与鹅颈交汇处的羽毛，三只豺爪勾紧鹅体，以避免自己被从鹅背上颠覆下来。

金嘴首领像艘赛艇，贴着水面往沼泽深处急驶而去。

骑在鹅背上游览水上世界，不失为一种别致的旅游项目。可这是一场严肃的生死搏杀，金嘴首领真有这份闲情逸趣驮着它玩耍？母豺火烧云脑子里闪出一个大问号，抬头望去，前面一片泱泱草泽，不时冒出一串串污浊的气泡。突然间，它明白过来金嘴首领驮着它在水面滑翔究竟是怎么回事了。那片稀稀疏疏长着野草并冒着气泡的水域，是最凶险的沼泽地。泥潭密集，深不可测，更可怕的是，在浅浅一层水面下，就是黏稠的泥浆，除了长有翅膀能飞翔的游禽类动物，其他任何动物，就算是水性极佳的水獭，一旦掉进这片沼泽地，也会越陷越深，越挣扎越往下沉，最后被泥浆吞噬掉。它猛然惊醒了，金嘴首领翅膀并未扭伤，鹅掌也未折断，之所以会翻转鹅翅扭抻鹅掌，其实是一种欺诈手段，或者说是一种诱敌伎俩，目的是要让它骑到鹅背上去，然后把它运送到布满泥潭的沼泽地。毫无疑问，一旦到了那片沼泽地，金嘴首领便会奋力腾飞，或者颠跳翻滚，将它从鹅背上摔下来，借沼泽的力量把它消灭掉。这是名副其实的死亡旅游，用心何其毒也。它吓得舌头热辣辣的。正常用语，应该说吓出一身冷汗，但包括豺在内的犬科动物，身上没有汗腺，靠舌头散热，所以受了惊吓以后，是不会吓出冷汗来的，只会吓得舌头热辣辣。

金嘴首领已滑翔出一大段路了，那块布满泥潭的水域越来越近。从高速运动的鹅背上往下跳，肯定不会是一件惬意的事，但不管怎么说，总比掉进万劫不复的泥潭要好得多。它不敢再有丝毫耽搁，闭起眼睛，松开嘴巴和爪子，扑通掉进水里，惯性作用下，它打了好几个滚，这才颤颤巍巍站了起来。好险哪，它此时站立的位置，离死亡沼泽仅有十多米远了。魂都要被吓散掉了。

幸亏它及时醒悟，要不然的话，明年的今天就是它的忌日。

金嘴首领在低空盘旋，发出计谋落空的遗恨叫声。

母豺火烧云拔腿就往岸边跑，它已领教过黑天鹅的厉害，它一只瘸腿豺，根本就不是这群黑天鹅的对手。无论黑天鹅怎样追啄它，怎样引诱它，它都不予反击，也不予理睬，一门心思逃命，不顾一切逃命。

它总算脱离苦海，登上岸来。

也许是因为天黑了，视线模糊不清，也许是因为来犯之敌已被驱逐出境，达到了目的，黑天鹅不再追赶，在天空盘桓数圈，发出一串串凯歌式鸣叫，班师回朝——飞回那片芦苇滩上去了。

母豺火烧云回到大肚佛窟，已是翌日凌晨。背上的豺毛起码被鹅嘴啄掉了三分之一，浑身伤痛，筋疲力尽，昏昏沉沉倒头便睡，睡到日头偏西才醒过来。奇怪的是，饥饿的感觉似乎消失了，望见在洞口跳跃的麻雀，也不会条件反射淌下口水来了。只是身体软绵绵的，懒得站起来，也懒得翻身，一动弹脑袋就会晕眩。它是只经验丰富的豺，它明白，自己已饿得快虚脱了。若再不能得到食物，几个小时后，恐怕想站也站不起来了。摆在它面前有两种选择，要么趁现在还有一口气，挣扎着爬出洞去，找寻可以充饥的食物，要么就这样静静躺着等待死神光临。它犹豫了半天，最后还是决定躺着等死。它不是不爱惜自己的生命，而是觉得自己瘸着一条腿，体力已近衰竭，出去觅食，成功的概率为零。与其在绝望的打击中倒毙于荒山野岭，倒不如就这么待着，在昏睡中死去。起码可以死得舒服些，死后也不会立即被贪婪的大嘴乌鸦啄食掉。

它的求生意志已经崩溃，对生存已不抱任何幻想。让残余的生命顺着时光之河慢慢流逝吧，对一个活得异常艰难的残缺的生命来说，死亡也许是很好的解脱。

它躺卧在大肚佛窟里等死，恍恍惚惚间，似乎有一股兔肉的香味钻进鼻孔。它不由自主伸出舌头去舔，似乎舔到甜腥的兔血。这一定是极度饥饿状态下产生的幻觉，它想。让它惊讶的是，舌头确实有吮吸血浆的感觉，黏稠的液体，淡淡的咸味。它试探着咽了一口，沁豺心脾，出现食物入肚的良好感觉。真有如此美妙的幻觉？它微微睁开眼睛，蒙蒙眬眬好像面前真有一只野山兔！它使劲眨眨眼睛，视线变得清晰了，果真是一只深灰色野山兔，已经开膛剖腹，新鲜的内脏与血浆就摊摆在它嘴吻前的石头上。野山兔再傻，也不会自己把肚子剖开以身饲豺；老天爷再慈悲，也不会从天上落下一只刚刚宰杀好的兔子来照顾生命垂危的残疾豺。管他的，先填饱肚子再说，送到嘴边的食物，不吃白不吃，吃了也白吃。它先吮吸兔血，又小口嚼咬兔心兔肝，让饿过头的胃有个缓慢适应的过程，然后狼吞虎咽开怀大吃，短短几分钟时间，就把大半只野山兔塞进肚去。假如生命是一只火炉的话，注入新的燃料，快要熄灭的火焰就会蓬蓬勃勃燃烧。吃进大半只野山兔，很快，火烧云就感觉到血液在血管里澎湃奔流，眩晕的头脑变得清醒而敏捷，软绵绵的四肢也恢复了力气。它伸了个惬意的懒腰，站了起来。就在这时，大肚佛窟洞底有条黑影闪动，它扭头看去，哦，是甜点心。

不难想象，它昏睡等死时，甜点心叼着野山兔来到大肚佛窟。它因为饿得快要衰竭，感觉很迟钝，没发觉甜点心的到来。甜点心咬开野山兔的肚子，将食物摆到它嘴吻边，然后蹲在幽暗的洞底守望着它，等待它苏醒。

出嫁的养女，还惦记着残废的养母，为已经丧失了捕食能力的养母送来食物，确实孝心可嘉，确实难能可贵。

它靠拢过去，深情舔吻甜点心，以示感激之情。它发现，甜点心身上的气味有明显变化，闻得到一股陌生狼腥臊的气味。毫无疑问，甜点心已找到如意“狼”

君。甜点心感情有了归宿，生活有了伴侣，这当然是一件可喜可贺的事。

见它已能站起来行走，甜点心发出一声悠长的狼嚎，似乎在告诉它，它不会扔下它不管的，它会经常带着食物来看望它的。随后，甜点心一甩狼尾，蹿出洞去。

这以后，每隔三四天，甜点心都会带着食物出现在大肚佛窟，有时是一只土拨鼠，有时是小半只岩羊，有时是一条鹿腿。当然不能说食物很丰盈，饥饿的感觉总是像幽灵似的追随着它，但不管怎么说，甜点心带来的食物，节省点儿吃的话，维持生命是不成问题的。天气晴朗时，它也会一瘸一拐走出洞去，寻找其他食肉猛兽扔弃的残羹剩渣，或者采用守株待兔的笨办法，蹲伏在鼠洞口，捕捉田鼠。此时正是日曲卡山麓食物最丰盛的季节，山豹、猞猁、金猫等狩猎技巧高超的猛兽，不像食物匮乏的冬季时那么吝啬了。在冬季它们捕获到食物后会吃得干干净净，连半截臭烘烘的大肠都不肯浪费，现在却变得慷慨大方，捕获到猎物后，往往将内脏和肢体上的好肉吃掉，将难啃的头、爪及皮囊遗弃。火烧云平均外出十趟，便会有一趟能捡到东西吃。阳光明媚的春天，也是田鼠生儿育女的高峰期，田鼠的繁殖力极强，一胎会生十多只小田鼠，三个月后小田鼠就会长大再生下一代小田鼠，几何级数增长，滚雪球般发展，要不了多长时间一对田鼠就可发展壮大成一个田鼠军团。就像池子里的鱼多了容易捕捞一样，尕玛尔草原上的田鼠数量膨胀了，也容易捕捉。火烧云平均在鼠洞前守候七次，就会有一次机会逮到警惕性不太高的田鼠。

吃救济、吃补助、吃施舍，能过上这种半饥半饱的日子，已经算是不错的啦，已经算是磕头碰着天啦，它已经心满意足了。

春去夏来，火烧云发现，甜点心的肚子渐渐鼓了起来，里头有小生命在蠕动。

也不晓得是爱情的结晶，还是爱情的孽障。

第十五章　风雨相依

那天下午，甜点心叼着一只羽毛未丰的黑天鹅来到大肚佛窟。以往甜点心回家给它送食物，都是放下东西后，在它身边转两圈，发出几声安慰性质的轻嚎，便离去了。这次却与往常不同，放下黑天鹅后，甜点心跑到洞口，发出几声悠扬绵长的号叫。

火烧云对甜点心的反常行为颇觉奇怪，便也跟着走到洞口向外张望。橘黄色斜阳下，葱绿的灌木丛中，一匹陌生狼正兴冲冲朝大肚佛窟跑来。

出于对狼的恐惧，火烧云立即退到洞底的石头后面，躲了起来。

不一会儿，陌生狼的影子映现在石洞口，微风灌进一股大公狼刺鼻的腥骚味。甜点心很高兴这匹大公狼的到来，尾巴大幅度甩摆做出欢迎的姿势，并抬起嘴吻露出柔软的颈窝，摩挲大公狼的脸颊。如此亲昵，必是配偶无疑。当然，肯定也就是甜点心肚子里还未出世的小狼崽的父亲。甜点心在前面引路，扭颈轻嚎，盛情邀请大公狼进大肚佛窟。

火烧云猜出甜点心的用意，是要引狼入室——甜点心的肚皮鼓得像香柚，已到预产期。甜点心当然晓得，方圆几十里，再没有比大肚佛窟更适合豺或狼居住了：石洞冬暖夏凉，隐秘安全，洞底石壁上水珠滴漏，不用出洞就可以舔甘甜的泉水来解渴，洞内还有扇形彩色钟乳石，屏风似的将石洞隔成里外两个空间。打个不恰当的比喻，大肚佛窟就好比人类都市中的花园别墅。毫无疑问，甜点心想在这儿生下小狼崽。

临近分娩的雌性动物，都会尽自己的所能，给即将出世的小宝贝找一个能遮风挡雨的安全舒适的理想巢穴。

大公狼在大肚佛窟洞口停顿了一下。火烧云看得很清楚，那是匹威风凛凛的大公狼，灰色的背脊闪烁着金属光泽，乳白色胸脯上有好几块红色斑点，就像挂着一串耀眼的勋章，或许可称它为勋章大公狼。狼尾梳理得整洁光滑，风度翩翩。用狼的审美观来衡量，算得上是一表狼才了。

勋章大公狼谨慎地在洞口窥探嗅闻一番，跟着甜点心跨进洞来。到这个时候为止，勋章大公狼还没发现火烧云。洞外夕阳普照，洞内幽暗，勋章大公狼眨巴着斜眼，以适应洞外与洞内的光线落差。

火烧云本来是躲藏在那扇彩色钟乳石背后的，想了想，又从钟乳石背后爬出来，低头垂耳，甩摆豺尾，表明自己的态度，同意让勋章大公狼住进大肚佛窟来。

它是只残废豺，能苟活在世上已经不错了，再说，动物世界没有居住所有权的说法，也没有房东这个概念，甜点心要引狼入室，它反对也没用。

说心里话，它不喜欢狼，尤其讨厌大公狼，最好这辈子别让大公狼看见自己。可是，它没有隐身术，大肚佛窟容积并不大，除了这扇彩色钟乳石，别无其他藏身之处，想让勋章大公狼不发现自己，那是绝对不可能的。与其等一会儿被勋章大公狼从彩色钟乳石背后搜索出来，倒不如自己主动爬出来，做出欢迎姿态，或许还能使勋章大公狼对自己产生一丝怜悯。

数秒钟后，勋章大公狼眼睛适应了洞内幽暗的光线，看见了甩摆尾巴的火烧云，刹那间狼尾平举，狼毛耸立，龇牙咧嘴咆哮起来，摆开跃跃欲扑的架势。

对人类而言，卧榻之侧，岂容他人酣睡。对狼而言，一个完美的小家庭，岂容一只豺待在旁边。

甜点心用身体挡住勋章大公狼，呦呦呜呜发出一串号叫，一会儿跑到勋章大公狼面前，一会儿又跳到火烧云身边，用意很明显，是要让勋章大公狼接受火烧云，组合成一个奇特的家庭，共同生活在大肚佛窟。

火烧云蜷伏在石旮旯，四肢勾缩在腹部，豺嘴咬住自己的尾巴，做出在强者面前认输和臣服的姿势。虽说这个姿势是豺社会的形体语言，但豺狼同属犬科动物，形体语言有许多共通点，它相信勋章大公狼能透过它的身体动作读懂它的心声。

勋章大公狼仍如临大敌般的狂嚎不已，磨牙擦爪，随时准备扑过来厮杀。对生性孤傲的大公狼来说，绝不会允许与豺同居一穴。

甜点心虽然竭力阻拦，但雌狼体格比公狼要小一些，力气也比公狼要弱一点儿，而且它肚子里又怀着即将诞生的狼崽子，动作不太灵便，心有余而力不足，无法有效遏制勋章大公狼的攻击。很快，勋章大公狼便挨近火烧云，狼爪几次抓到火烧云的身体，撕得豺毛飞旋。

火烧云没有任何反抗，也没敢瞪起豺眼龇牙咧嘴啸叫。打不还爪，骂不还口。它晓得，一切反抗都是徒劳的，任何谩骂也是无效的，只能刺激勋章大公狼更疯狂地扑咬。

母豺火烧云息事宁狼的做法，并不能消弭物种仇恨。勋章大公狼并没有因为它的不抵抗主义而减弱攻击势头。突然，勋章大公狼嗖地蹿跃，似乎是要从左侧突破甜点心的防线去扑咬火烧云。甜点心当然往左侧运动进行拦截，殊不料勋章大公狼玩了个声东击西的把戏，倏地旋转身体，从右侧契入，扑到火烧云身上，利牙交错的狼嘴照准豺脖恶狠狠咬下来。

火烧云闭着眼睛，一副引颈就戮的模样。

就在这千钧一发之际，甜点心猛蹿上来，强行将勋章大公狼撞开去。也许是用力过猛动了胎气，也许是不小心撞着了肚子，甜点心将正要行凶的勋章大公狼从火烧云身上撞出去后，突然哀嚎一声，蹲伏下来，身体一阵阵颤抖，狼嘴都痛苦得扭曲了。

勋章大公狼毕竟是疼爱妻子的，赶紧跳到甜点心身旁，伸出狼舌舔吻妻子圆鼓鼓的肚皮。可这家伙并未改变要将火烧云驱赶出大肚佛窟的念头，一面亲吻甜点心的肚皮，一面不时抬起杀气腾腾的狼眼，恶狠狠地盯着火烧云，喉咙深处发出粗俗的低吼。凶相毕露，野心未泯，随时会再次扑蹿上来进行致命的噬咬。

母豺火烧云叹息一声，挣扎着站起来，朝洞外走去。水火不能相容，勋章大公狼吃了秤砣铁了心，是绝不会容忍它待在大肚佛窟的了。有它没勋章大公狼，有勋章大公狼没它。它不想被狼嘴狼牙撕成碎片的话，只有离开大肚佛窟。再者，甜点心已经为它动了胎气，它不愿意甜点心再受到伤害。甜点心夹在它和勋章大公狼中间，肯定左右为难。它不忍心再让甜点心为难，不愿自己成为累赘，妨碍甜点心的生活。

唉，引狼入室，就是灾难的同义词，结局肯定是不妙的啊。

当它跨出大肚佛窟后，勋章大公狼的狂嚎声逐渐减弱。非法占有居住空间的罪恶目的已经达到，强盗当然会心满意足。

火烧云漫无目的地在山野踽踽独行，不晓得自己要到哪里去。它居住多年的大肚佛窟被勋章大公狼霸占了，厄运并未到此结束，对狼和豺这样的食肉猛兽来说，居住空间是与觅食空间紧密联系在一起的，它失去了居住空间，也就意味着失去了狩猎领地。勋章大公狼是绝不会允许它再在这方土地生活下去，它必须至少走出二十公里外，才算是逃出了勋章大公狼的魔爪。二十公里，对四肢完好的健康豺来说，跑快点儿的话个把小时也就跑到了，可对一条前腿断裂的残疾豺来说，却是艰难困苦的漫漫旅程。它在坎坷不平的山路上一瘸一拐地行走，东倒西歪，走得比乌龟爬快不了多少。刚走出两三里路，走到一片乱石岗，一脚没踩稳，就从两米高的石坎滚下去，摔得鼻青脸肿。它趴在碎石上，呜呜发出凄凉的哀叫。

天快要黑了，已是夏末季节，日曲卡雪山的夏天十分短暂，盛夏过后，气温就迅速下降，一天比一天冷。凉风阵阵，乌云从四面八方聚拢来，闪电从云层深处像小青蛇似的钻出来，一场暴雨即将来临。

世界虽然很大很大，但对豺来说，适合生存的土地却非常有限。要么有同类竞争，要么有其他食肉猛兽盘踞，要么是食物资源短缺的不毛之地。就算是一只身强力壮的豺，要想到一个陌生地方开拓新的狩猎领地，要找到一块既无同类相争又无其他食肉兽盘踞而食物资源又丰盈的土地，也不是一件容易的事。它是一只行动困难的残疾豺，恐怕等不到它寻找到新的栖身之地，就会在流亡途中被饥饿和疾病夺走生命。

倒不如让闪电劈中自己，一了百了，免除痛苦的煎熬。

就在它万念俱灰时，旷野响起甜点心的号叫声。它听得出来，那是呼唤与寻找的叫声。它应了一声，不一会儿，甜点心腆着大肚子跑了过来，默默地靠在它身边，情绪显得有点儿伤感。风飘来三两雨滴，暴雨快要落下来了。甜点心朝大肚佛窟方向轻嚎数声，火烧云晓得，甜点心是要让它回大肚佛窟去。它是被迫离开大肚佛窟的，请它回去，当然是它很乐意做的事。才往回走了一半，瓢泼大雨就落下来了。回到大肚佛窟时，它和甜点心都淋成了落汤鸡。

大肚佛窟静悄悄的，勋章大公狼已不知去向。

可以想象，它出走后，甜点心与勋章大公狼争吵了一番。响起雷声，刮起寒风，天就要下雨了，甜点心惦记它的安危，蹿出洞来找它。勋章大公狼无法理解甜点心的举动，一怒之下，弃甜点心而去。

半夜，透过风雨声，火烧云听到对面山头传来狼嚎声。毫无疑问，那是勋章大公狼在向甜点心表白心迹：有豺无狼，有狼无豺，只要你赶走丑陋的瘸腿母豺，我就会回到你身边来的。春闺梦里狼，甜点心充耳不闻，也没发出应答的号叫。午夜，勋章大公狼的嚎叫声渐渐远去，隐没在隆隆的雷声中。

黎明时分，甜点心做了妈妈，产下三只小狼崽。风狂雨骤，幸亏是在大肚佛窟内，不然的话，在旷野风吹雨浇，小家伙很有可能会夭折。火烧云帮甜点心舔净小狼崽身上的绒毛。两雌一雄，第一个出世的小雌狼就叫冷风，妹妹就叫雪雨，那只小公狼毛色乌黑，天上正乌云密布，那就叫乌云吧。

翌日中午，刚刚风停雨歇，甜点心就跨出大肚佛窟外出觅食了。这很辛苦，也很危险。火烧云挺难过，要不是为了它，勋章大公狼就不会离开大肚佛窟。按日曲卡雪山野狼的习性，一匹公狼和一匹母狼结成伉俪，会很长时间相守在一起。公狼是自然界为数不多的父亲意识很强的动物之一。正常情况下，母狼分娩时，公狼会忠实地陪伴在母狼身边。当母狼安全产下狼崽，公狼便会义不容辞地挑起家庭生活的重担，独自外出狩猎。刚做父亲的公狼，性情会变得格外勇猛，一定要捕杀活的猎物，为妻儿提供新鲜充盈的食物。这种状况会维持十天到半月之久，母狼身体基本恢复后，才会外出协助公狼狩猎。唉，要是勋章大公狼此时在这里的话，甜点心就不用拖着产后虚弱的身体外出觅食了。现在它唯一能帮助甜点心的，就是将三只小狼崽紧紧裹在自己怀中，用体温来驱散夏末初秋的寒气。

它祈祷，甜点心能交好运，一出洞口就遇到一只迷路的小斑羚，不费吹灰之力就能获得营养丰富的食物。

第十六章　雕口救援

母豺火烧云尽自己所能，协助甜点心养育三只小狼崽。每当甜点心外出狩猎，它就寸步不离地守护在小狼崽身边。倘若刮风下雨，它就将小狼崽揽进怀里，倘若天晴暖和，它就趴在洞里，连苍蝇都休想飞进来捣乱。甜点心狩猎归来，无论是大有收获满载而归，还是一无所获空手而归，它在听到熟悉的脚步声后，都会跑到大肚佛窟外面迎候，舔去甜点心身上的征尘，营造温馨的家庭氛围。当甜点心给三只小狼崽喂奶时，它就忙着把小狼崽的排泄物用嘴叼着运送到几百米远的山沟里去。小狼崽还不会自己跑到外面去排泄，都是在大肚佛窟里屙屎撒尿，若不及时清除，浓烈的气味会引来路过的食肉兽，是一种潜在的危机。这项又脏又累的活，过去是由公狼来干的，这个狼家庭没有公狼，就由它来承担。有时候，甜点心捕猎顺利，回来得早，它就跑出去碰碰运气，或找寻腐肉，或守候鼠洞，有收获的话，多少也能贴补家用，减轻甜点心的觅食压力。

它靠甜点心养活，它也想方设法回报甜点心。

日曲卡雪山的秋天，对狼或豺这样的中型猛兽来说，既是食物渐渐匮乏的季节，又是危险日益加剧的时候。许多食草动物开始迁移去南方过冬，一些有冬眠习惯的动物从地面上神秘地消失了。就连田鼠、土拨鼠和其他鼠类，也在地洞里储存起大量的粮食，极少露面。雪兔和长耳野兔也大幅度减少到地面来活动的次数，在温暖的地穴过起半隐居的生活。饥肠辘辘的食肉兽，在生存的压力下，变得极其贪婪，也更富冒险精神，就连紫鼬、赤狐、豹猫、果子狸这些平时闻到狼的气味就会退避三舍的兽类，此时也会趁成年狼离巢觅食之际，溜进狼窝来猎杀没有自卫能力的小狼崽。

这天，甜点心去尕玛尔草原狩猎，刚离开不久，就有一只豹猫鬼头鬼脑跑到大肚佛窟洞口来窥探。豹猫是一种和家猫差不多大的野猫，皮毛的花纹类似金钱豹，因而得名叫豹猫。豹猫耳朵长而大，身手矫健，能上树掏鸟窝，也能下地捉老鼠。有鸟与鼠可食时，豹猫即使看见小狼崽也不会停留，但现在候鸟飞走了，老鼠又转入地下活动，便把注意力投向任何可以杀戮并吃掉的动物。

火烧云蹲在洞口，发出严厉的啸叫，警告这只过路豹猫：有我在这里守卫，你休想占到什么便宜！豹猫在洞口咆哮一阵，无趣地离开了。这天，要不是有火烧云守护，三只小狼崽早就成了豹猫的午餐。

小狼崽出生一个星期，就会睁开眼睛看移动的物体，两个星期后，就会在大肚佛窟内蹒跚爬行，四个星期后，就会迈动小腿奔跑了。小狼崽活泼而吵闹，吃饱睡足后，就互相打闹，我掀翻你，你扑倒我，一刻也不肯安静。对狼这样的动物来说，幼年期互相打斗，看起来是无意义的游戏，其实是重要的学习课程，为将来独立生活锤炼超凡的胆魄和格斗技巧。火烧云当然不会对三只小狼崽的游戏横加干涉。问题是，小家伙们的胆子越来越大，已不满足在大肚佛窟内打斗，而要跑到洞外去玩耍。小狼崽才四五个星期大，根本没有避险意识，到了洞外就到处乱钻，草窠、树丛、石坑、土丘，哪儿都敢去，它一只瘸腿豺如何看管得过来呢？它只有挡在洞口，阻止小狼崽外出。小狼崽很淘气，在它面前爬来爬去，钻头觅缝想越过防线跑出去。有时候它稍有疏忽，打个盹儿或出去方便一下，它们就会趁机溜出洞去，让它防不胜防。

这几天，天天都在下雨，秋风秋雨愁煞豺。这天中午，云破天开，雨后天晴，艳阳高照。小狼崽们被淫雨锁在大肚佛窟里已有三天，见到太阳，兴奋地呜噜呜噜叫，拼命想跑到外面去玩耍。甜点心出去狩猎还没回来，火烧云当然不敢随便放它们出洞。

——呦呦，外面有大白蛇，啊呜一口就会把你们吞吃掉的！

——呦呦，洞外有只可怕的大猫，尖刀似的爪子会把你们撕成碎片！

——听话，不许胡闹，乖乖待在洞里，等你们妈妈回来后，你们才能出去玩！

它用身体封锁住洞口，并发出威胁的啸叫，竭力阻拦它们外出。然而，仅靠几句空洞的吓唬，根本不足以让淘气的小狼崽放弃出去玩的念头。它们固执地在它身边钻来钻去，寻找可以突破封锁线的机会。小雌狼冷风，在三只小狼崽中排序老大，身体比其他两只小狼崽要健壮些，脑子也比其他两只小狼崽要灵活些。它见火烧云正在推搡小雌狼雪雨和小公狼乌云，便不声不响溜到火烧云屁股后面，突然就从豺尾下的空隙钻了出去，突破防线后，好像知道火烧云要追缉它，立即撒腿往茂密的灌木丛急奔。火烧云只好用三条腿跳跃，去追赶冷风。还没等它把冷风押回洞里，小雌狼雪雨和小公狼乌云却又趁洞口空虚，倏地溜出洞来。三只小狼崽围绕灌木丛，跟它玩起躲猫猫的游戏。它本来就瘸着一条腿，行动不便，进到灌木丛，枝枝蔓蔓磕磕绊绊，更是走得艰难。小狼崽们似乎还故意拿它开心，在它面前晃来晃去，逗引它追赶。它呼哧呼哧喘着粗气好不容易快要追上它们了，它们却哧溜钻进密密匝匝的灌木丛深处。灌木丛枝蔓太密，成年豺体形大，它又拖着一条残肢，很不容易钻进去，只好在灌木丛外干瞪眼。

三只调皮的小狼崽，还在灌木丛深处呜㰾呜㰾叫，似乎在嘲笑它的无能。

它又气又急，不得不使用粗野的手段来对付这三只小狼崽。它用豺尾当诱饵，尾尖不停地颤动，像只活泼的小鸟。小雌狼冷风心痒眼馋，忍不住从灌木丛里跑出来，逮小鸟似的玩弄它的尾巴。它倏地转身将小雌狼冷风扑倒，一口叼住小家伙的颈皮，提了起来。豺与狼都会用叼咬颈皮的方式搬移幼崽，这不会对幼崽造成什么伤害。但小雌狼冷风已有五个星期大了，身体少说也有三四斤重，被叼住颈皮悬挂在半空，非常难受，呜呜哀叫，四条细细的狼腿徒劳地划动。它叼住小家伙的颈皮使劲抖了抖，嘴角发出呦呜呦呜严厉的啸叫，警告小家伙不准乱动，然后颠颠跳跳将小家伙押回大肚佛窟。

小雌狼雪雨和小公狼乌云被震慑住了，乖乖从灌木丛钻出来，跟着它爬回大肚佛窟来。

它把小雌狼冷风重重抛进洞底的石旮旯里，长啸一声：给我老老实实待着，谁再敢调皮，我就把谁的耳朵咬下来！

三只小狼崽缩成一团，害怕得瑟瑟发抖。

火烧云横卧在洞口，像个值勤的狱警，看押三只小狼犯。

才安静了半个小时，三只小狼崽又开始蠢蠢欲动。它们从洞底石旮旯爬出来，在大肚佛窟内爬来爬去，委屈地呜呜号叫。它们不敢靠得它太近，在离它一米远的地方，用怨恨而又乞求的眼光望着它，似乎在等待它开恩，放它们出去玩耍。

它闭目养神，装着什么也没看见。

——呜呜，干吗要把我们像小囚犯似的关在洞里呀！

——呦呦，你是世界上最狠心的狼外婆，我们讨厌你！

——嗷嗷，你放我们出去玩一会儿嘛，我们不会跑远的！

三只小狼崽咿里呜噜不停地号叫，就像在进行集体抗议。母豺火烧云听得心烦意乱。它知道，三只小狼崽想要出去玩一会儿的要求并不算过分。小家伙贪玩爱闹，这是天性，也是它们的正当权益。前几日连降秋雨，它们被困在大肚佛窟内，没出去玩过。天晴了，太阳出来了，它们渴望到铺满阳光的草地上奔跳嬉闹，这也是情理中的事。万物生长靠太阳，长时间待在阴暗潮湿的山洞里，身体都要发霉的，对健康肯定不利。它们理应享有明媚的阳光、清新的空气和活泼快乐的童年。甜点心早出晚归，极有可能今天又要天黑后才能带着猎物回家。等甜点心回家后再放三只小狼崽出去的话，温暖的太阳早已落山，寒冷的秋风嗖嗖吹袭，根本就不可能再玩耍了。说老实话，剥夺小狼崽的快乐，是很残忍的事，它也于心不忍啊。它想，洞外虽然潜藏着危机，但也不是每时每刻、每分每秒都有生命危险。事实上，大肚佛窟地处山凹深处，周围有灌木树丛遮蔽，偶尔才会有猛兽光顾。让三只小狼崽到洞外玩一会儿，也不至于就一定会撞上凶恶的天敌，出事的概率其实并不很大。它虽然瘸了一条腿，护卫能力有限，但眼不花耳不聋鼻不塞，担当警戒是完全能胜任的。

小家伙们怪可怜的，算啦，就让它们出去玩一会儿吧。

它蹲坐起来，洞口敞开一个通道，这是一种暗示和默许。

三只小狼崽欢呼雀跃，一溜烟跑出洞去，在草地上翻滚追逐。

哦，放你们出来玩，是有条件的。只能在洞口附近玩一玩，不许跑远了。母豺火烧云在距离洞口三十米的地方，用尿液画了一条三八线，严格圈定三只小狼崽的活动范围。它自己则爬上一座小山包，登高望远，视界开阔，眼、鼻、耳三种感觉器官并用，严密注视大肚佛窟四周每一块岩石、每一丛灌木和每一片树林，稍有风吹草动，它就会把小家伙们撵回洞里去。应该说警戒措施还是挺不错的。

三只小狼崽在大肚佛窟前的草地上玩得热火朝天，它们玩累了，就在阳光下梳理皮毛，小憩片刻，便又开始互相打斗嬉闹。

火烧云像个最忠实的卫士，全神注意着周围的动静。左侧两百米有一丛蒿草，突然无风自动，草穗剧烈摇晃。它的心陡地悬吊起来，一面扭身做好带领小狼崽撤退的准备，一面死死盯着那丛可疑的蒿草。有几株草茎折倒了，钻出一个黑乎乎的东西。凝神再看，哦，原来是一只刺猬。刺猬是素食动物，对小狼崽构不成威胁。它悬吊的心这才徐徐放落下来。目光又扫到右侧白桦树林，秋天的白桦树，叶子像用金箔做成的，闪着耀眼的光亮。突然，寂静的树林里传来哗啦哗啦的声响，好像有什么兽类在穿行。它背上的豺毛又紧张地耸立起来，耳朵竖得笔直，定向侦听，究竟是什么样的不速之客。那可疑的声音时断时续，金黄的白桦树叶间，映现出两个庞然大物，它这才弄清，原来是两匹野骆驼。日曲卡雪山北麓的荒漠地区，有野骆驼的踪迹。秋冬季节，野骆驼会从雪山北麓绕道雪山南麓去尕玛尔草原觅食。野骆驼也是食草动物，对小狼崽无害。果然，两匹野骆驼钻出白桦林后，沿着山沟头也不回地往尕玛尔草原去了。火烧云徐徐舒了口气，背部耸立的豺毛也慢慢恢复原状。可它警惕的心弦仍绷得很紧，丝毫不敢松懈。对它来说，守护这三只小狼崽，责任重大，宁可虚惊千次，也不能放过一个疑点。

它密切防范地面四周的动静，却忽略了来自天空的威胁。

这肯定是一只经验丰富的乌雕，不然俯冲的角度不会这么刁钻，也不会如此巧妙地隐藏在云朵里，突然从背后进行偷袭；这肯定是一只被饥馑困扰多日的饿雕，极有可能还是一只正处在哺育期的母雕，悬崖绝壁间或大树树冠上的雕巢内，有两只嗷嗷待哺的幼雕正等着它回家喂食，不然的话不会在有成年豺看守的情况下，铤而走险来袭击成年豺身旁的幼崽。

乌雕是日曲卡山麓最凶恶的猛禽，食谱很广，春夏季节主要是捕捉蛇类、鼠类和鸟类，到了秋冬季节，蛇冬眠鼠钻洞鸟迁移，便将攻击目标转向一切能抓到的活物。强悍的成年雕体长约有一米，翼展达两米以上，长着铁钩似的尖爪利喙。乌雕经常袭击岩羊，突然朝站立在陡峭岩石上的小羊俯冲下去，用雕爪将小羊推下悬崖摔死，然后再抓回雕巢享用。饿极了，也会攻击疏于防范的猛兽幼崽。

曾发生过这样的事，一只母雪豹带着两只刚断奶的幼豹在山坡上行走，突然有一只雪兔从前面的雪地里蹦出来，母雪豹当然不肯放过送上门的食物，冲出去追逐雪兔。当它叼着雪兔得意洋洋地返回时，却发现一只乌雕正抓着一只幼豹，拼命扇动巨大的翅膀，借着山谷升腾的气流，歪歪扭扭飞上天空。尖利的雕爪刺进幼豹的脊背和后颈，幼豹四只爪子在空中徒劳地划动，发出凄厉的哀叫。雪豹虽有高山雪域霸主的美称，却不会飞翔，那只母雪豹只能望空兴叹，眼睁睁看着自己的宝贝消失在蓝天碧云间。

当母豺火烧云听到背后有翅膀割裂空气的呼呼声时，蓦然回首，一只乌雕已俯冲到离地面仅有百余米的高度了。乌雕平撑双翅，无声地滑翔而下。乌雕，顾名思义，羽色乌黑犹如乌鸦或乌鸡，只在尾羽和翼羽间有一道白色羽带。乍看起来，就像从树梢飘落下来的一片枯叶。乌雕一只遒劲的爪子已从腹部伸展出来，雕眼盯着正在一块岩石上边晒太阳边梳理体毛的小雌狼冷风，做好了攫抓的准备。

小雌狼冷风仍懒洋洋地蹲坐在岩石上，没觉察到死神已悄悄降临头顶。

突兀的岩石，静止的蹲坐，对狩猎技巧高超的乌雕来说，攻击这样的目标，就像人类吃豆腐那么容易。按照此时的情景，顶多还有四五秒钟，乌雕就会在低空划出一道漂亮的弧线，雕爪不费吹灰之力地揪住小雌狼冷风的脖颈，然后优雅地拍扇翅膀，升上天空。可怜的小雌狼冷风，将会被带到悬崖间的雕巢里，被碎尸万段，变成幼雕果腹的美餐。

母豺火烧云没有任何犹豫，两条后腿奋力一蹬，扑蹿出去。俗话说狗急跳墙，犬科动物被逼急了都会发挥出巨大潜能。它这一跳，跳出了历史最好成绩，足足蹿出四米多，离小雌狼仅剩两米远了。糟糕的是，蹿跳用力过猛，落地时三条腿无法掌握平衡，跌了个大跟斗，摔了个嘴啃泥。雕翅黑色的死亡的投影已笼罩在小雌狼冷风的身上，站起来继续扑蹿已来不及了。它急中生智，就着这跌倒打滚的姿势，身体卷成球状，玩了个连轴滚，刹那间滚到了目标位。这个时候，雕爪已快落到小雌狼冷风的脖颈上了。千钧一发之际，火烧云及时跳了起来，身体盖在小雌狼冷风身上，张开豺嘴狠狠朝企图施暴的那只雕爪咬去。豺嘴与雕爪撞了个正着，雕爪抓破了火烧云的下巴。遗憾的是，乌雕反应极其灵敏，豺嘴还未及噬咬，雕爪就闪电般缩了回去。虽然未能咬着乌雕爪，却把乌雕吓了一大跳，拍扇翅膀，扶摇而上，在几十米高的空中盘桓鸣叫。

火烧云厉声啸叫，给三只小狼崽报警和提示，趁乌雕受到惊吓还没回过神来，赶紧跑回大肚佛窟去，躲避可怕的天灾！

三只小狼崽现在所处的位置，离大肚佛窟洞口约有三十多米。虽然五个星期大的狼崽腿短力弱不善奔跑，但拼出吃奶的力气逃窜的话，应该说能抢在乌雕重新发动攻击前逃进大肚佛窟的。小家伙们只要逃进大肚佛窟，就算进入了安全的防空洞。在地面上，乌雕的威力骤减三分之二，它火烧云只要守住洞口，别说一只乌雕，就是两只乌雕，也休想攻进大肚佛窟来攫走小狼崽。

呦呦，你们不想变成雕食的话，就请你们抱头鼠窜，赶快跑回大肚佛窟去！

它嗓子都快叫哑了，却未达到预期效果。三只小狼崽被乌雕凶猛的袭击吓坏了，六神无主，灵魂出窍，分不清东西南北，根本就不晓得该往大肚佛窟跑，反倒不约而同朝它靠拢，挤到它身边，往它肚皮底下钻。它的腹下容积有限，只够容纳一只小狼崽，三只小狼崽竟互相争夺起来，你推搡我，我挤对你，结果小脑袋钻进它的肚皮底下，身体和屁股却暴露在外面。

唉，没办法，小狼崽年幼无知，缺乏应对突发事件的经验，一遇到危险，首先想到的就是向身边的成年亲属寻求保护，把成年亲属的身体当作保护伞和避风港。

半空中，乌雕盘旋的高度逐渐降低，杀气腾腾的雕爪又从腹部绒羽间伸展出来。雕爪伸展犹如人类社会的剑出鞘枪上膛，毫无疑问，它很快就要发起新的攻击。

假如自己有足够的能力对付来自天空的危机，它当然愿意用自己的身体充当三只小狼崽的保护伞和避风港，问题是，它断了一条腿，倘若乌雕发起攻击的话，它自顾不暇，怎么确保小家伙们的安全呀？

它气沉丹田，龇牙咧嘴，朝天空狂啸不已。它豺眼瞪得溜圆，凶相毕露，啸叫声充满杀气，心里默默祈祷，自己的狰狞表演能让乌雕有所顾虑有所畏惧，知难而退，放弃这场猎杀。攻心战术，不伐而谋胜，对它来说，是上上策。

遗憾的是，它的攻心战术并不奏效。这只乌雕贼胆奇大，也许天生就是个亡命之徒，呼啸着毫无惧色地俯冲下来。它不得不踮起后肢朝逼近的雕爪噬咬以抵挡乌雕凌厉的攻势。腹下那三只小狼崽不可避免地失去庇护，暴露在阳光下。乌雕并没用爪子来与豺嘴搏杀，而是立即缩回爪子，从它头顶飞掠而过，投下一片恐怖的阴影和一串冷酷的啸叫，又拉升到半空盘旋起来。三只小狼崽感受到来自天空血腥的威胁，乱了方寸，在草地上仓皇逃窜。

——呦呕，别乱跑，危险！火烧云立刻发出短促的警示性啸叫。

还算好，三只小狼崽听到它的叫声后，又争先恐后往它身边聚拢来。可是，没等小家伙们钻到它的腹下，乌雕又再次俯冲下来。巨大的翅膀扇出血雨腥风，铁钩似的雕喙吐出追命夺魂的啸叫。火烧云不得不再踮立起后肢迎战乌雕，三只小狼崽再次失魂落魄逃命。

“滴儿，戈——”乌雕在半空发出得意的鸣叫。

火烧云明白了，这是一只老奸巨猾的乌雕，用连续不断的佯攻刻意制造白色恐怖，目的是要把三只小狼崽吓得灵魂出窍，乱成一锅粥，四散奔逃。当小家伙们逃离它的身边，逃到它庇护能力所及的范围之外，乌雕就会对它们实施老鹰捉小鸡般致命的攻击。

三只小狼崽已经吓得晕头转向了，必须及时挫败乌雕的阴谋，不然的话，要不了多长时间，肯定会有一只或两只小狼崽要葬送在雕爪下。

火烧云是只生活阅历丰富的母豺，朝四周瞄了一眼，立刻想出对付乌雕的办法来。在身旁约七八米远的位置，有一蓬灌木丛，虽然不大，却枝杈交错，葛蔓缠绕，不失为一个临时避难所。呦呕，快跟我来，拿出你们玩躲猫猫游戏的机灵劲儿，钻进灌木丛深处去！它用叫声牵引，将三只小狼崽引到那蓬灌木丛前，用身体撞，用爪子踢，把它们都赶进灌木丛去。

它紧张得快绷断的心弦这才稍稍有所松弛。

乌雕在那蓬灌木丛上空盘旋鸣叫，一圈一圈又一圈，叫声中透出愤懑和无奈。

呦呕，呦呕，它朝天空啸叫。哦，三个小家伙已钻进灌木丛，你就死了这条心吧。假如你愚蠢地想冲进灌木丛去抓它们，枝蔓会缚住你的身体，树杈会绞断你的翅膀，使你变成一个五花大绑的死刑犯，我不费吹灰之力就会咬断你的脖颈。你不想成为断头死雕的话就该知趣些，快远走高飞吧。哦，你到别的地方去觅食，你会交好运的，左爪抓住肥胖的兔子，右爪抓住呆笨的松鸡，满载而归，去喂饱你的宝贝幼雕！

乌雕是个不知好歹的家伙，是只油盐不进的顽固雕，根本不理会它的劝阻与警告，又偏着翅膀准备俯冲下来。

火烧云只有抖擞精神准备应战。它已不像刚才那么紧张，三只小狼崽钻进那蓬灌木丛，虽然不能说安全就有了绝对保障，但至少给乌雕的攻击造成了很难逾越的障碍。这蓬灌木虽然面积有限，但冠顶厚密，就像一把结实的保护伞。它想象不出乌雕会用什么方式来攫抓三只小狼崽。它不相信乌雕会愚蠢地扎进灌木丛冠顶去，这样的话，乌雕难逃作茧自缚、自投罗网的厄运。乌雕行得通的攻击方式，只有停栖到地面后，雕头探进灌木丛，用喙将小狼崽从灌木丛里拖拽出来。假如乌雕使用这种攻击方式，也只能是自取灭亡。像乌雕这样的大型猛禽，威风全在空中，一落到地面，就会显得比松鸡更笨拙，两只翅膀半张半敛，走起路来摇摇晃晃。它虽是只瘸腿豺，也不会惧怕落到地面的乌雕，完全有把握用豺嘴拧断乌雕的脖子。它目光盯着准备俯冲的乌雕，守候在灌木丛边上，恭候乌雕降临。

呦嗬，只要你敢落下地来，今天的晚餐我们就吃新鲜雕肉了！

乌雕真的俯冲下来了，掠过火烧云的头顶，直扑灌木丛冠顶。乌雕并未一头扎进枝蔓纵横的灌木丛去，而是伸出一只爪子，揪住冠顶上的枝条。雕头上翘，两只翅膀大幅度扇摇，产生一股巨大的升腾力量，整个灌木丛的冠顶往上吊起，发出咔嚓的可怕声响。

火烧云做梦也想不到，乌雕会用这种新颖的攻击方式。

有好几秒钟，乌雕虽然翅膀还在摇扇，但身体却停滞在半空。灌木丛冠顶隆起像把收拢的伞，乌雕的力量与灌木丛的力量达到一个互不相让的均衡点。

母豺火烧云衷心希望，这丛灌木结实无比，柔韧无比，那只乌雕怎么也扯不断、拉不开、捣不毁，让乌雕白忙乎一场，再也无计可施，最后灰溜溜飞走。

突然间，乌雕狂啸一声，加快翅膀的摇扇节奏，像刮起一股猛烈的旋风，灌木丛嘎吱嘎吱痛苦地呻吟，嘭的一声响，灌木丛冠顶被撕裂了，雕爪抓起一团枯枝败叶，冲上蓝天，扬起一股呛鼻的灰尘。尘埃落定，伞状灌木冠顶赫然出现一个大窟窿，三只小狼崽暴露在乌雕俯瞰的视线里。小家伙们吓坏了，拔腿想逃出灌木丛来。

呦嗷，别动，千万别出来！火烧云厉声啸叫。周围二十余米范围内，除了这蓬灌木丛，别无其他藏身之处，逃出灌木丛，正好中了乌雕的奸计。这丛灌木的冠顶虽然被撕碎了一块，但还没丧失庇护功能，仍是目前最安全的地方。

三只小狼崽还算听话，互相搂抱着，蜷缩在灌木丛里。

乌雕再次俯冲下来，又将灌木丛冠顶撕掉了一块。烟尘弥漫，惊心动魄。乌雕俯冲下来时，火烧云当然也颠跳噬咬，但它瘸了一条腿，蹿高能力非常有限，只咬到雕翼扇出的气流。三只小狼崽发出尖厉的呼救声。

乌雕连续撕扯灌木丛，冠顶的窟窿越来越大，三只小狼崽也越来越暴露在光天化日之下。火烧云明白，照这样下去，用不了多长时间，枝枝蔓蔓便会被雕爪撕扯干净，灌木丛的冠顶便会被完全掀开，只剩几根光秃秃的树干。一旦屏障消除，乌雕就会将罪恶的爪子伸向毫无自卫能力的小狼崽。

必须在灌木丛被彻底捣毁前，想出能让小狼崽脱险的办法来。

也许，可以用豺所擅长的假死技能来消除危机，母豺火烧云想。

凡犬科动物，都会用装死的办法克敌制胜。犬科动物装死有两大用途，第一大用途是，遇到猎人或猛兽强敌，打又打不过逃又逃不掉，就会使出装死的绝招，两眼翻白口吐白沫瘫倒在地，呼吸变得极其微弱，心脏也似乎停止跳动，就像真的进入了休克状态。连猎人也往往受骗，以为这猎物真的死了，便到一边忙其他事情去，放松看管，装死者便趁机逃之夭夭；第二大用途是，遇到垂涎三尺又难以捕捉的猎物，吃又想吃抓又抓不到，便会用装死来做特殊的诱饵，把猎物引诱到身边来，然后突然活过来将猎物抓住。在所有犬科动物中，狐狸是最擅长装死伎俩的，母豺火烧云曾亲眼目睹这样一件事。

某天早晨，一只雪狐从一棵树下经过，冷不防撞见一只正在树下捡食浆果的松鼠，受惊的小松鼠赶紧逃上树去。雪狐望着小松鼠口水滴答，可它不会爬树，奈何不得在枝丫上跳跃的松鼠。那雪狐眼珠子一转，突然一脚踩空，从两米多高的石坎上摔下去，四肢一阵抽搐，便不动弹了。松鼠开始并不相信雪狐已经摔死，仍待在大树枝丫上没有下来。这时候，飞来一只大嘴乌鸦，大嘴乌鸦属于食腐动物，被喻为大森林殡葬工，喜食动物尸体。大嘴乌鸦从空中慢慢盘旋而下，先试探着用爪子在雪狐身上抓了一把，然后立刻拍扇翅膀飞升空中，雪狐躺在地上纹丝不动。在大嘴乌鸦试探时，松鼠站在枝丫上目不转睛地观看，大嘴乌鸦又一次盘旋而下，落在雪狐背上，啄了一口，啄出一撮狐毛，那雪狐仍没有任何反应。看来雪狐真的死了，不然的话不会容忍大嘴乌鸦在它背上活拔狐毛的。松鼠彻底放心，从枝丫上爬下树来，想继续捡食浆果。就在松鼠爪子刚刚落地的时候，那只雪狐突然跳起来，以迅雷不及掩耳之势扑倒松鼠，可怜的小松鼠，成了丛林阴谋诡计的牺牲品。

如此高超的装死本领，让低智商的弱小动物防不胜防。

它的装死本领并不亚于雪狐，倘若能让凶悍的乌雕相信它已变成一只死豺，乌雕也许就会避难就易，不再去耗费体力撕扯灌木丛企图攫捉小狼崽，而会将狩猎目标转移到它身上。它就可趁机对乌雕反咬一口，就算不能将乌雕置于死地，起码也可以将乌雕咬得灵魂出窍，逃之夭夭。它决定模仿雪狐，表演一次装死。

火烧云登上灌木丛旁一块高约半米的岩石，当乌雕再次俯冲下来撕扯灌木时，它啸叫一声扑蹿上去。似乎是脚爪滑了一下，它失足从岩石上摔了下来，在地上打了个滚，脑袋砰的一声重重砸在石头上，两眼翻白仰面栽倒在地。为了让装死显得更逼真，它咬破自己的豺舌，挤出一些血，与唾液搅拌在一起，然后从嘴角溢流出来。看上去，就像是口吐血沫，生命垂危，已奄奄一息了。

毫无疑问，它的系列动作，尽收乌雕眼底。乌雕本来是要撕扯灌木丛的，俯冲到一半，突然雕翼侧转偏离了航向，到它上空盘旋起来，翅膀的振动声和雕爪的捏抓声不绝于耳。来吧，抓一只躺卧草地上将死的豺，比撕破荆棘捉藏匿在灌木中的小狼崽要方便多了。来吧，你不费吹灰之力就可以得到喂养幼雕的豺肉，过了这个村就没有这个店，这样的便宜不捡白不捡。别犹豫，莫迟疑，快动手。它感觉到，乌雕在迅速降低高度。唔，雕爪快触及它的身体了，它伸开锐利的豺爪，磨砺尖利的豺牙，暗暗做好准备。只要雕爪来揪它的腹部，它就会突然间“死而复生”，搂抱住得意忘形的乌雕，让乌雕尝尝豺爪和豺牙的厉害。可是，不知怎么搞的，在离它头顶约一米的高度，乌雕突然不再往下降落，那翅膀振动声忽而反转向上，渐渐远去，也就是说，乌雕往上飞升了。过了约半分钟，传来枝蔓被撕碎的声响。它惊讶地睁开眼，可恶的乌雕，又俯冲到那丛灌木上，用雕爪撕扯冠顶。

哦，用装死来制服乌雕的计谋破产了。

它不晓得乌雕是如何识破它的计谋的，也许，它装死装得还不够像，雕眼看出了破绽；也许，这只乌雕曾经吃过走兽装死的亏，惨痛教训铭记在心，宁愿辛苦些去捉躲藏在灌木丛中的小狼崽，也不愿冒险来捡便宜；还有一种可能，这只乌雕是美食家，挑精拣肥图口福，嫌它的豺肉老韧不好吃，想啄食细皮嫩肉的小狼崽。

不管怎么说，乌雕拒绝上当受骗，它白白装死，白白摔了一大跤，白白用脑袋撞石头，白白咬破自己的豺舌。没有结果的努力，枉费心机的失败，令它伤心沮丧。

形势越来越严峻，灌木丛冠顶上的枝蔓已被撕去一大半，乌雕顶多再俯冲三四次，就可将灌木丛冠顶完全掀开。四周就这么一蓬可以藏身的灌木，小狼崽马上就性命难保了啊。在乌雕撕扯灌木时，火烧云当然试图反击或阻扰，可它是只跛脚豺，蹿高能力极其有限，且每次蹿高掉下来后都会跌跤。而狡猾的乌雕总是在两米以上的高度徘徊，所以它的反击或阻扰显得软弱无力，对乌雕根本构不成威胁。

用危在旦夕来形容三只小狼崽的处境，再确切不过了。必须尽快想出解除危机的办法，否则，再过片刻，一场流血惨案就会在它面前发生。它目不转睛盯着乌雕，仔细观察它每一个细微的动作，寻求力挽狂澜的良策。它注意到一个细节，当雕爪揪住枝蔓，猛烈拍扇翅膀，灌木丛冠顶被撕碎前，乌雕在空中有个短暂的停顿。约有一两秒钟的时间，由于用力腾飞的需要，这个时候，乌雕的身体呈直立状态，尾翼往下耷落，低于雕爪，高度离地面不足两米。更让火烧云兴奋的是，当乌雕身体垂直时，由于力学原因，雕头翘向天空，换句话说，有一两秒钟的时间，雕眼的视线移向蓝天白云，而看不到地面上的动静。这是一个可以利用的战机。它紧张而快速地盘算，假如它登上灌木丛旁那块高约半米的岩石，等乌雕因撕扯枝蔓而身体垂直时，它突然起跳上蹿，咬不到乌雕的身体，却有可能咬到下垂的尾翼。虽说把握不大，仅有两三成胜算，但只要有一线希望，它也要努力去争取。

事不宜迟，它趁乌雕两次俯冲的间歇，吃力地爬上岩石，而当雕头上翘雕眼对地面的观察出现盲区时，用尽所有的力气奋然蹿跳。对断了一条腿的它来说，这是相当冒险的行为。假如咬空，它会从空中摔进灌木丛，荆棘会刺伤它的身体，树桩也有可能会撞断它的肋骨。要真是这样的话，它就彻底丧失了与乌雕搏杀的能力，不仅无法保护三只小狼崽，自己也会成为乌雕啄食宰割的对象。

这是背水一战的拼搏，置之死地而后生的奋斗。

豺的智慧在动物界确实出类拔萃。它的设计周密而有效，就在雕尾下垂到最低点时，它的唇吻正好上蹿到最高点，豺嘴毫不客气地一口咬住尾羽。乌雕没有防备，差不多被拖拽进灌木丛了。假如真能将乌雕拖拽进灌木丛，枝蔓绳索似的捆绑住雕翅，那倒是个意外的惊喜。可惜，乌雕瞬间就惊醒过来，松开雕爪扔掉枝蔓，尖啸着，猛烈拍扇翅膀。雕翼打在灌木丛冠顶上，好几片羽毛折断了，像黑色的小精灵，在空中飞舞。母豺火烧云没有想到，乌雕的力量有这么大，很快就停止坠落，并拖着它，缓慢而艰难地向空中爬升。与此同时，两只雕爪向后摆动，无情地撕抓它的身体。它咬住雕尾，那雕爪恰好就够得着它的脖颈，犹如几把锋利的小刀，在锯割它的皮肉。它听到自己脖颈被撕裂的嗞嗞声，它闻到自己伤口浓烈的血腥味。它咬紧牙关，忍受火烧火燎般的剧痛。即使被毒辣的雕爪撕烂脖颈割断喉管，它也决不会松开嘴。它晓得，自己的处境虽然不妙，但乌雕的处境更加危险，尾翼吊着一只豺，飞行姿势很别扭，是不可能坚持多长时间的。果然，飞出两百多米后，乌雕就吃不消了，忽而沉落，忽而拉起，在空中拼命挣扎。哦，乌雕的力气很快就要耗尽，再过一会儿，乌雕就会身不由已地降落到地面上。而它是陆地走兽，只要回到地面，它就能发挥猛兽威力，几口咬死这只恶雕!

沿着狭长的山谷，乌雕飞得越来越低。母豺火烧云感觉到，自己的爪子触摸到草茎和地面的砾石，离胜利仅有一步之遥了。它伸开指爪，抠抓地面，希望能借助大地的力量，把乌雕拖回到地面来。它的爪子在地面划动，扎进草根，牢牢抓住坚实的大地。乌雕虽然还在拍打翅膀，身体却在半空中停滞着，再也飞不动了。

双方僵持了一会儿，突然，乌雕狂啸一声，疯狂地摇动翅膀，只听嘭的一声，火烧云感觉到把自己往空中拉拽的那股力量消失了，身体往后倾倒，翻了两个后滚翻，这才好不容易翻爬起来。它的嘴里还咬着五六根黑色的雕羽，抬头望去，乌雕正仓皇地拍打翅膀，迅速往天空飞去。它这才明白，自己拔掉了乌雕的尾羽，鏖战双方的身体脱离了接触。

“呦——呦——”它嘴角挂着雕羽，向天空汹汹啸叫。秃尾巴乌雕头也不回，哀鸣着，惨叫着，飞向云雾袅绕的日曲卡雪山。它晓得，自己虽然未能捕杀乌雕，却成功地将乌雕嚣张的气焰压了下去。即使送去请柬，这只乌雕也不敢再飞到大肚佛窟上空来觅食了。

很快，乌雕越飞越远，变成一个模糊的小黑点，消失在蘑菇状的云团间。

母豺火烧云被乌雕拖出约三百米，它忍着脖颈的伤痛，一瘸一拐回到大肚佛窟。三只小狼崽还蜷缩在灌木丛里。哦，出来吧，空袭警报解除了，现在平安无事了，它柔声叫唤着。小家伙们战战兢兢地从灌木丛里爬出来，黏在它身旁，仍在瑟瑟发抖，不时抬起惊恐的眼睛仰望天空，有几片枯叶被萧瑟的秋风从树梢吹落下来，它们就吓得缩成一团直往它怀里钻。别害怕，哦，有我在，谁也甭想伤害你们！它把三只小狼崽揽进怀里，疼爱地舔吻它们的额头。

它还不是白吃饭的废物，它救了三只小狼崽。它对得起雌狼甜点心给它提供的食物，它还没有完全丧失生存价值。它为此而感到欣慰。

第十七章　同归于尽

树脱去绿衣裳，雪线大踏步地从山顶走下来，冬天到了。

觅食越来越困难，三只小狼崽已经断奶，改吃妈妈反刍出来的肉块。食物需求量越来越大，雌狼甜点心几乎天天要外出奔波，一家子这才勉强能糊口。

下了一场大雪，甜点心冒雪狩猎，结果运气不佳，接连两天没得到食物。没有食物喂养，小狼崽瘦得皮包骨头。这天夜里，三只小狼崽怎么哄也不肯入睡，围着甜点心呦呦呦呦叫，乞讨食物。甜点心梗直脖子，蠕动肚皮，做了好几次反刍动作，却什么也吐不出来。甜点心自己也已经两天没有进食，肚子空瘪瘪的，当然不可能像魔术师变戏法似的吐出肉块来喂嗷嗷待哺的小狼崽。也许是饿极了想发泄埋怨的情绪，也许是想催促妈妈快点儿拿吃的来，小公狼乌云抱住甜点心的脸，在甜点心嘴吻上重重啃了一口。小家伙牙齿虽还稚嫩，但咬起来还是蛮厉害的。甜点心疼得跳起来，凶狠地咆哮，一爪子将小公狼乌云扫进石旮旯，又粗暴地将小雌狼冷风和雪雨从自己身边推搡开去。

嗷——可恶的讨债鬼，都给我滚开！

动物和人一样，境遇不佳时，很容易就会失去耐心，脾气变得暴躁乖戾。

三只小狼崽委屈地叫着，游魂似的在大肚佛窟里爬来爬去。

母豺火烧云用舌尖承接洞底钟乳石上渗漏下来的水珠，渡进小狼崽们的嘴里，想让它们安静下来。水不是肉，仅能滋润嘴唇，无法填充饥肠。小家伙们仍饿得慌，啃石头，掘泥土，做出各种让成年兽心酸的乞食动作来。

折腾到半夜，更糟糕的情形出现了。三只小狼崽忽而惊醒，忽而昏睡，爬动时步履踉跄，爬几步就要跌倒。火烧云是有经验的母豺，它晓得，小家伙们已经因饥饿而变得十分虚弱，倘若天亮前再不能给它们喂食，小命很有可能会夭折。

甜点心在大肚佛窟内急剧地跑来跑去，显得焦躁不安。忽又伫立在洞口，向苍茫的山野眺望。雪还在不停地下，北风呼啸，眼前一片迷茫。透过雪花，远山峡谷间，有星星点点的灯火在闪烁。那是人类居住的豆腐营村寨，那儿有许许多多豺和狼特别感兴趣的猎物。甜点心狼眼碧绿，透出一股杀伐之气，连尾巴上的绒毛都耸立起来。火烧云的心缩紧了，它曾带着甜点心去过那个小村寨，见过那些鸡婆、鸭公、猪崽什么的。从甜点心反常的举动中，它明白，甜点心要铤而走险去人类村寨狩猎了。

一个母亲，只要还有一口气，就不会眼睁睁看着自己的儿女活活饿死。

母豺火烧云知道，到人类居住的村寨觅食意味着什么。人类有刀有枪，还有忠勇的猎狗。那是九死一生的冒险，用生命当筹码的赌博，成功的概率很小很小，失败的可能很大很大，比火中取栗、虎口夺食更危险。要是出点儿意外，不仅三只小狼崽活不成，它也必死无疑。不不，它不能让甜点心去冒这么大的风险。它想阻拦，可已经来不及了，甜点心一甩尾巴，低嚎一声，已经蹿出洞去。

很快，甜点心消失在风雪交加的夜色中。

母豺火烧云将三只快要饿晕的小狼崽揽进怀抱。现在它唯一能做的事情，就是祈祷和等待，祈祷老天爷能发发慈悲，让甜点心顺顺利利在豆腐营村寨猎取到食物，等待甜点心带着猎物平平安安归来。

它也已经两天没吃到东西，饿得头晕眼花，胃囊一阵阵痉挛。三只小狼崽就躺在它怀里，假如它要吃掉小狼崽充饥的话，那是再方便不过的事了。咔嚓一口就可以咬下脑袋，稀里呼噜就可以把小狼崽吞进肚去。可是，它脑子里从未闪过这样的念头。豺也罢狼也罢，都是具有浓烈亲情的动物，它与这三只小狼崽虽然没有血缘关系，但它是看着它们出生并看着它们长大的，不是亲属胜似亲属，它宁肯饿死，也不会去伤害它们的。

下半夜，雪停了，启明星升起来了。寂静的夜，仿佛有狗的吠叫声。火烧云以为是幻觉，再仔细谛听，真有狗在叫。它心头一惊，从方位判断，狗吠声是从豆腐营村寨方向传来的。莫不是甜点心出事了？它一骨碌爬起来，瘸瘸拐拐走出大肚佛窟。冰雪覆盖，它一步一个趔趄，寒风一次又一次将它吹倒，它在雪地上滑行，用牙咬着荆棘翻越沟坎，用三条腿的豺所能用的办法，迎着狗叫声而去。

它要接应甜点心。

摸黑爬出山谷，来到通往豆腐营村寨的岔路口，雪野星光，远远看见有两条黑影正一前一后迅速奔跑过来。黑影渐渐放大，它看清楚了，跑在前头的是甜点心，拖拽着一只刚出生不久的小猪崽子。紧跟在甜点心身后的是一条大花狗。一个在前面仓皇奔逃，一个在后面衔尾猛追。雪光映衬下，能见度不算低，它认出来了，追赶甜点心的正是曾经咬伤过它的大耳朵花狗。火烧云吃过大耳朵花狗的亏，这是一条身材高大的牧羊犬，是村寨猎狗群的首领，勇猛无比。一年多前它去豆腐营村寨偷鸡，被大耳朵花狗发现，咬破它一只乳房，至今还留着伤痕呢。冤家路窄，想不到又撞见这条流氓狗了。

形势对甜点心很不利，小猪崽子怕有十多斤重，还没断气，踢蹬挣扎，影响了甜点心的奔逃速度。大耳朵花狗赶上来，缠住甜点心撕咬。甜点心不得不扔下小猪崽子，与大耳朵花狗周旋一番。走走停停，且战且退，逃身乏术。

远处，又传来群狗的吠叫声，还有数支火把在雪地移动。毫无疑问，猎人与狗群正在火速赶来。大耳朵花狗愈发嚣张，更加频繁出击，目的很明确，要拖住甜点心，等待援兵到达。

一般而言，一条狗是对付不了一匹狼的。大耳朵花狗虽然是狗中精英，一身狗胆的牧羊犬，但认真较量起来，也非甜点心的对手。但甜点心两天没吃东西，更主要的是，急着想把小猪崽子带回石洞中，无心恋战，也担心猎人与狗群会追上来，因此只要大耳朵花狗一松劲，便叼咬小猪崽子逃亡。双方咬了个平手，大耳朵花狗占了主动，因此也略占上风。甜点心的后背被狗爪撕裂，淌着血。

猎人和狗群正赶来增援，这样下去，甜点心非常危险，用不了多长时间，就会被狗群包围，就会被猎枪打得遍体窟窿，像只蜂窝。

它是靠甜点心提供食物才苟活在世上的，甜点心是它生命的依靠，它当然不能在甜点心身处险境时袖手旁观，当然不能眼看着甜点心陷入狗群与猎人的重围而无动于衷。

它蹲在小路边的一块磐石上，做好居高临下扑咬的准备。

它晓得，就算这一次让甜点心将小猪崽子拖回大肚佛窟，并不意味着危机就解除了，冬天刚刚开始，漫长的饥寒交迫还在后头。若生活仍然维持原状，甜点心还会再一次潜入人类居住的村寨去冒险。面临被饿死的危险时，所有的动物都会铤而走险的。甜点心不可能每一次都顺利得手，幸运之神不可能次次都照顾甜点心。吃了亏的村民肯定会把丢失小猪崽子的怨气一股脑儿发泄到那些猎狗身上，责骂它们好吃懒做，责骂它们蠢笨如猪，责骂它们是饭桶白痴，说不定还要赏给它们几脚或几鞭子。猎狗铭记这惨痛的教训，会提高警惕，加强戒备，设下埋伏，布下圈套，要不了多久，甜点心就会被缉拿归案。它现在才明白，它是爱甜点心的，虽然对方是一匹狼。它与甜点心自始至终都有母女般的感情。因为爱甜点心，所以也爱甜点心产下的三只小狼崽。它不能眼睁睁看着甜点心去送死。只有一个办法能彻底解决问题，那就是把那匹勋章大公狼迎回大肚佛窟来。这个办法有个前提，那就是它必须离开大肚佛窟。

它是一只残废的母豺，一个残缺的生命，以它的牺牲来换取甜点心和那窝小狼崽的生存，并不是一笔赔本的买卖。

甜点心从它眼鼻底下经过，走得匆忙，又拖拽着小猪崽子，没发现它。大耳朵花狗尾随追撵，也从它蹲伏的大石头底下经过。大耳朵花狗追得急，又要提防甜点心咬它个回马枪，所以也没发现它。

火烧云两条后腿用力一蹬，照准大耳朵花狗扑了下去，正好骑在狗背上，不等大耳朵花狗反应过来是怎么回事，一口咬住狗脖子，紧紧阖拢嘴巴。大耳朵花狗狂吠暴跳，将它从背上掀下来，在它身上猛烈撕咬。它是只经验丰富的母豺，虽然残废，但噬咬技巧仍十分娴熟，准确地咬在大耳朵花狗最致命的颈侧动脉血管上，尖利的豺牙像钢钉钉进大耳朵花狗的脖子，死也不松口。

火烧云感觉到自己的身体正在被肢解，豺毛被拔脱，皮肤被撕裂，肌肉被咬碎，血管像旱季的河快要断流了。但它的头脑还非常清醒，它是抱着同归于尽的决心跳到狗背上去的，没指望有生还的可能。它把所有的意念集中到牙齿上，咬紧，咬紧，再咬紧。

它听到甜点心在呼叫。哦，快走吧，你的三只小狼崽还在大肚佛窟里等你呢！它还有最后一桩心事放不下，它应该告诉甜点心，设法去寻找那匹勋章大公狼。它不在了，勋章大公狼回家的障碍也就消除了，全家团聚，有个好帮手，才能在弱肉强食的丛林中生存下去。可惜，它已无法让甜点心明白自己的心意了。

它感觉到咸津津的狗血浸润到它的唇齿间，感觉到大耳朵花狗挣扎的力气越来越小。

豺的动物名片

亲爱的小读者，在你的印象里，豺是一种什么样的动物呢？豺狼虎豹，豺作为“四大恶兽”之首似乎天生凶狠残暴、无恶不作。可是，你了解真正的豺吗？让我们来看看豺的动物名片吧！

我像狼像狗但其实是豺

豺，又叫红狼、红豺、豺狗、斑狗、棒子狗、赤毛狼等。既叫狼又叫狗，说明豺的外形介于狼和狗之间，但比狼小。从动物分类学上说，狗和狼为犬科犬属，豺却是犬科豺属，完全是另一种动物。

我的样子很特别

豺头宽，吻部较短，额骨的中部隆起，所以从侧面看整个面部会显得鼓起来。耳朵短而圆，四肢较短，尾巴略似狐尾，毛蓬松而下垂。豺的毛色一般为棕红色，腹部和喉部毛色较为浅淡，尾巴末端为黑色。

我喜欢住在山上

豺是典型的山地动物，栖息于山地草原、亚高山草甸及山地疏林中。它不会自己挖掘洞穴，通常居住在岩石缝隙、天然洞穴里，或隐匿在灌木丛中。豺分布广泛，主要在亚洲的东部、南部、东南部和中部等地区。在我国，除台湾和海南外，大部分省的山区都可见其踪迹。

我喜欢和同类一起活动

豺喜欢群居，多由强壮而狡猾的“头领”带领一个或几个家族聚集在一起，但也能见到单独活动的个体。豺多在晨昏活动，善于追逐猎物，也常以围攻方式捕食，主要袭击小型和中型兽类，有时甚至能伤害水牛。

我的捕猎本领谁也学不来

豺性情沉默而警觉，嗅觉很发达，它常与虎结成对子，豺能随时警觉到老虎面临的危险，并提前作出预告，而老虎就会将战利品分些给豺。豺的猎食方法很奇特，例如捕野猪时先追在后面驱赶，等它跑不动了才开始进攻。豺专掏野猪的肛门，一爪进去，抓出野猪的大肠，野猪忍着疼痛拼命往前窜，不久就毙命了。

为什么我的名声那么差

自古以来，人们就喜欢把豺和狼并列在一起。豺狼当道、豺狼横行，“豺狼”常常用来比喻贪婪残忍的人。追其由来，可能是因为豺凶猛、胆大，凡与之遭遇的大小动物无不畏惧；捕猎时更是能准确找到猎物最薄弱的地带下手，毫不留情。慢慢的，豺就和狼一起成为了坏人的代名词。

我努力创造和睦的家庭

别看对敌人那么狠毒，豺对家人可是关怀备至。豺一生都过着稳定的家庭生活，成年豺夫妻间非常默契和恩爱，如果雄豺出去觅食，雌豺就留下来照顾着小豺，反之亦然。夫妻一方如果出门捕食太累，另一只豺会主动换班出门捕食。不论是谁，都对幼子爱护备至，夫妻与孩子待在一起时都尽情地享受着天伦之乐。

我从来不伤害人

一般来说，豺与人类友好相处，从不主动进攻人；与狗也称兄道弟，时常跑到村里混在狗群中嬉戏。在民间的故事和传说中，豺很有灵性。谁要侵犯了它，这个人所在的村庄就会遭殃。豺群会几天几夜围着村子，大量咬杀鸡鸭猪牛，直到人们向它献祭道歉后才肯退走。所以在有些地方，有经验的猎人从不打豺。

我快要灭绝了……

过去人们把豺作为害兽进行猎杀，1989年，国家重点保护野生动物名录将豺列为II类，禁止任意捕猎。但是，由于种种原因，曾经威风一时的豺，今天已经到了濒临灭绝的地步。如果豺群消失，大自然肯定会失去平衡；而一个失去平衡的生态环境，必然会引发更严重的生存问题。如今，对狼、虎、豹的保护已引起了大家的关注，而豺，得到的重视还远远不够。

关爱动物，让地球更美好

我要用我手中的笔，呼唤人类对动物休眠的良知，呼唤人与自然和谐相处，呼唤我们这颗蔚蓝色的地球更加绿意葱茏。

——沈石溪

长期以来，人类有一种根深蒂固的偏见，总以万物之主自居，总认为自己是高等生灵，是天地间的主宰，动物都是低等生灵，是任人摆布的畜生。人类这种无视动物福利、无视生命尊严的行为，直接造成的恶果是环境持续恶化，生态系统遭到破坏，许多野生动物濒临灭绝，美丽的地球变得千疮百孔。更为严峻的是，对另类生灵的蹂躏和践踏，释放了人心中的恶，继而漠视、藐视和蔑视同类的生命，制造种种惨绝人寰的悲剧。

其实，动物并非人类想象的那么低能蠢笨，它们的感情世界也并不比人类逊色。动物和我们人类一样，也是有血有肉、有爱有憎、有家庭亲情、会制造工具、有喜怒哀乐的生命。

有时，只要用心去观察，不难发现，在情感世界，在生死抉择的关头，许多动物表现出来的忠贞和勇敢，常常令我们人类汗颜，让我们自愧弗如。

爱是生命进化的能量。我们应当敬畏生命，尊重另类生灵，与它们进行真诚的感情交流与心灵互渗，用博爱的心怀去关爱动物，关爱周围的一切生命，让地球因为有我们付出的一份爱而变得更加美好。

小读者们，想不想和大家分享你或你的朋友们关爱小动物的故事呢？那就快快投稿吧！我们会评选出“爱心小天使”，还有神秘奖品赠送哟！

请投稿到以下信箱：wxtg@childrenfun.com.cn。作品中要包含：①你的故事；②你的姓名；③你的联系地址、邮政编码、联系电话。

还犹豫什么，快快动笔吧！

沈石溪作品获奖记录

- **《第七条猎狗》**（短篇小说）中国作家协会首届全国优秀儿童文学奖
- **《退役军犬黄狐》**（短篇小说） 第六届陈伯吹儿童文学奖
- **《狼王梦》**（长篇小说）中国台湾第四届杨唤儿童文学奖
- **《一只猎雕的遭遇》**（长篇小说）
  中国作家协会第二届全国优秀儿童文学奖
- **《狼王梦》**（长篇小说） 第二届全国少年儿童优秀图书一等奖
- **《天命》**（短篇小说）1992年海峡两岸少年小说、童话征文佳作奖
- **《象母怨》**（中篇小说） 首届冰心儿童文学新作奖大奖
- **《残狼灰满》**（中篇小说）首届“巨人”中长篇奖
- **《沈石溪动物小说自选集》**（中短篇小说集）第三届冰心儿童图书奖
- **《红奶羊》**（中篇小说集）中国作家协会第三届全国优秀儿童文学奖
- **《狼王梦》**（长篇小说）**《第七条猎狗》**（中短篇小说集）
  中国台湾1994年“好书大家读”优选少年儿童读物奖
- **《第七条猎狗》**（短篇小说集）中国台湾《中国时报》1994年度十佳童书奖
- **《保姆蟒》**（短篇小说集）1996年中国台湾金鼎奖优良儿童图书推荐奖

- **《狼妻》**（短篇小说集）

  中国台湾1997年“好书大家读”年度最佳少年儿童读物奖
- **《宝牙母象》**（中篇小说）第十一届中国图书奖
- **《牧羊豹》**（短篇小说集）

  中国台湾2000年“好书大家读”年度最佳少年儿童读物奖
- **《刀疤豺母》**（长篇小说）第十三届中国图书奖
- **《藏獒渡魂》**（短篇小说）第十九届陈伯吹儿童文学奖
- **《鸟奴》**（长篇小说）中国作家协会第六届全国优秀儿童文学奖
- **《藏獒渡魂》**（中短篇小说集）2006年冰心儿童图书奖
- **《斑羚飞渡》**（短篇小说集）

  国家新闻出版总署2007年向青少年推荐百部优秀图书
- **《狼王梦全本》**（长篇小说）**《狼世界》**（中短篇小说集）

  国家新闻出版总署2008年向青少年推荐百部优秀图书
- **《红豺》**（长篇小说）

  国家新闻出版总署2011年向青少年推荐百种优秀图书
- **《红豺》**（长篇小说）第三届“三个一百”原创图书出版工程奖

沈石溪作品入选中小学教材篇目

- **《最后一头战象》**
  人民教育出版社全国小学语文教材六年级上册
- 香港生本教育语文教材第十册
- **《斑羚飞渡》**
  人民教育出版社全国初中语文教材七年级下册
  江苏人民教育出版社小学语文教材四年级下册
  辽宁人民出版社高中二年级课外语文
- **《猎狐》** 湖北教育出版社初中语文教材七年级上册
- **《帮大象拔刺》《保姆蟒》《残疾豹》《太阳鸟和眼镜王蛇》《会做生意的狐狸》**
  山东教育出版社新课程小学语文读本六年级上册
- **《第七条猎狗》**
  山东教育出版社初中语文课外阅读七年级上册
- 辽宁教育出版社、语文出版社中小学生语文素养文库 初中卷
  《脸色苍白的伙伴》 人民教育出版社初中语文自读课本第二册
- **《暮色》** 浙江人民美术出版社未来教育教材中国儿童阅读文库